Brigitte
Stricken 2

Brigitte
Stricken 2

Der Aufbaukurs mit vielen neuen
Mustern und Modellen
Von Ariane Heyduck und
Kathrin Behrens

Ein Brigitte-Buch

Die Autorinnen:

Kathrin Behrens wurde 1954 geboren. Sie studierte Mode-Design in Hamburg und arbeitet seit sechs Jahren als Redakteurin bei der Brigitte. Ihr Fachgebiet: Entwurf und Erarbeitung von Handarbeitsthemen.

Ariane Heyduck wurde 1941 geboren. Sie studierte Mode an der Werkkunstschule in Hamburg und machte ihren Meister im Schneiderhandwerk. Seit vielen Jahren ist sie als Brigitte-Redakteurin Spezialistin für alle Handarbeitstechniken. Nach eigener Schätzung hat sie selbst bisher an die 260 Pullover gestrickt.

Lizenzausgabe mit Genehmigung der Mosaik Verlag GmbH, München
für die Bertelsmann Club GmbH, Gütersloh
die EBG Verlags GmbH, Kornwestheim
die Buchgemeinschaft Donauland Kremayr & Scheriau, Wien
und die Buch- und Schallplattenfreunde GmbH, Zug/Schweiz
Diese Lizenz gilt auch für die Deutsche Buch-Gemeinschaft
C. A. Koch's Verlag Nachf., Berlin – Darmstadt – Wien
© 1983 Mosaik Verlag GmbH, München
Gruner + Jahr AG & Co., Hamburg
Herausgeber: Peter Brasch. Lektorat: Marita Heinz
Gestaltung: Dietmar Meyer, Ekkhart Blunck
Fotos: Ilse Thoma, Ortwin Möller (Sachfotos)
Lithografie: Bütehorn GmbH, Hannover. Produktion: Druckzentrale G+J
Einbandgestaltung: Dietmar Meyer
Druck: Mohndruck Graphische Betriebe GmbH, Gütersloh
Printed in Germany · Buch-Nr. 019265

ÜBUNG MACHT den Meister –
und ein Meister ist man, wenn man all die Lochmuster, plastischen Muster, Norwegermuster
und eingestrickten Flächenaufteilungen dieses
Buches beherrscht. Die Techniken dazu
werden genau beschrieben und anhand von
Schemazeichnungen erklärt.
Außerdem gibt es viele Tips und Tricks,
wie das Stricken von Säumen, Fersen und
Ecken, Rundungen, Ausschnitten und Taschen,
die den Weg zum fertigen Modell leichter-
machen. Wie schick das alles zusammen aussieht, zeigen wir Ihnen anhand von vielen
klassischen und raffinierten Modellen
– da ist für jeden Typ etwas dabei!
Als Zubehör gibt's bunte Strümpfe, warme
Mützen, große Tücher – und für zu Hause feine
Spitzen, Kissen und Gardinen. Wir versprechen
Ihnen: Auch wenn Sie als einfacher Maschen-
stricker anfangen, sind Sie am Ende dieses
Buches ein Meisterstricker!

Materialkunde

Flammégarne

Chenille

Bouclé

Bändchen

Leder- und Fellstreifen

Diese ausgefallenen Materialien sind für die ersten Strickübungen nicht geeignet – und häufig auch zu kostbar. Die Garne werden zwar meist glatt rechts oder links verstrickt, weil so ihre interessante Struktur am besten zur Geltung kommt, sie erfordern jedoch Geduld und Fingerspitzengefühl beim Stricken. Modelle, ganz aus einem dieser Materialien gestrickt, wirken besonders wertvoll. Aber auch schon ein Streifen, eine Passe oder eingestrickte Flächen aus einem dieser Materialien macht aus einfachen Stricksachen etwas Besonderes. Eine effektvoll gestrickte Fläche im Material- und Mustermix erhält man, wenn verschiedene Strukturgarne einer Farbrichtung, zum Beispiel Blau-/Grüntöne in unterschiedlich breiten und verschieden gemusterten Streifen, aneinandergestrickt werden.

Flammégarne

Flammégarne nennt man Effektgarne mit unregelmäßig eingesponnenen dicken und dünnen Fäden, die manchmal durch Noppen ergänzt werden. Die interessante Struktur wird beim Spinnen erzielt, kann aber noch durch verschieden eingefärbte Fasern verstärkt werden. So ist der Effekt einfarbiger Flammégarne ganz anders, als wenn die eingesponnenen Fasern in Schattierungen (ombriert) gefärbt sind. Noch interessanter wirken Flammégarne, wenn als

„Seele" (Grundfaden) ein anderes Material, z. B. Kunstseide oder Lurex, verwendet wird. Flammégarne kommen am besten als große Fläche bei glatt rechts oder links gestrickten Pullis und Jacken zur Geltung.

Chenille

Chenille ist ein Garn, bei dem je nach Qualität unterschiedlich lange Fäden in einen Mittelfaden (Seele) eingedreht werden. Entsprechend der Zusammensetzung ergibt sich eine samt- oder fellartige Oberfläche. Sehr weich und dicht wirkt Chenille mit kurzen Fasern aus Baumwolle oder Viskose. Glänzendes Chenillegarn aus Chemiefasern wird meist als Effektstreifen eingestrickt. Wie ein plüschiger Pelz erscheint reinwollenes Garn mit langen Fäden, die locker eingedreht sind. Chenille ist wegen der samtartigen Oberfläche des Fadens nicht einfach zu verarbeiten und nur bedingt strapazierfähig. Es ist außerdem nicht ganz billig – aber für ein ausgefallenes Strickstück lohnen sich Kosten und Mühe.

Bouclé

Bei Bouclégarn wird um einen glatten Faden ein Schlingenfaden gedreht, der von unterschiedlicher Struktur sein kann: Lockiges Bouclé-

garn erzielt den Effekt von Persianer-
pelz. Schlaufiges Garn wirkt verstrickt
wie Frottee. Wellenförmiges, unregelmäßig versponnenes und mit
einem anderen Material als Beilauffa-
den gemischtes Bouclégarn hat eine
plüschartige Wirkung. Verstrickt wird
das Material am besten glatt rechts
oder links, damit die dichte, dicke
Oberfläche gut zur Geltung kommt.
Bouclégarne sind durch die unregel-
mäßige Struktur nicht leicht zu verarbeiten, dafür fallen kleine Unregel-
mäßigkeiten beim Stricken nicht auf!
Bouclé wird gern für einfache Pullover oder Jacken genommen. Außerdem verwendet man dieses interessante Garn immer öfter für Material-
mischungen.

Bändchen

Neu ist diese Art von Strickmaterial:
gewirkte Bändchen aus Baumwolle,
Wolle, Seide oder Viskose, manchmal auch vermischt mit einem Lurex-
faden. Bändchengarne sind endlos
gewirkt. Ihre Enden müssen deshalb
besonders sorgfältig vernäht werden
– sie ribbeln sonst auf! Glatt oder
kraus verstrickt kommen Bändchen
am besten zur Geltung. Ihre Wirkung
ist dabei recht verschieden, je nach-
dem ob man sie normal fest oder mo-
disch locker verstrickt. Durch einzeln
eingestrickte Kraus-rechts-Streifen
kann man mit Bändchen auch bei
Materialkombinationen hübsche
Effekte erzielen. Wenn man sie glatt
verstrickt, geht das Stricken mit die-

sem Material so schnell voran, daß
sich auch Anfänger daranwagen
können – als Übungsmaterial sind
Bändchen allerdings zu teuer!

Leder- und Fellstreifen

Leder oder Fell vom Meter – das ist
ein neuartiges Strickmaterial.
Kraus rechts oder als flächiges Muster
verstrickt, ergibt Leder eine interessante Struktur. Es gibt zwei Arten von
Leder: **Echtes Leder** wird in
Streifen geschnitten angeboten und
hat eine kurze Lauflänge (ca. 20 m),
d. h. der „Faden" muß öfter anein-
andergenäht werden. Das Nähen ist
wichtig, da sich die Fäden beim Wa-
schen oder Reinigen leicht voneinan-
der lösen. **Kunstleder** gibt es vom
laufenden Meter, in vielen Farben,
und es ist einfacher zu pflegen.
Ein Pullover aus verstricktem Leder
ist zwar teuer, dafür aber auch etwas
ganz Besonderes!
Fellstreifen gibt es geschnitten meistens mit einer Lauflänge von 3–5
Metern. Die verschiedenen Fellarten
eignen sich nicht für ganze Modelle,
sind aber wirkungsvoll als Effektstreifen bei Pullovern aus grob struktu-
rierten Wollen wie Tweed oder Shet-
land. Achtung bei der Maschenprobe: Fellstreifen müssen mit extrem
großer Nadelstärke (ca. Nr. 8–10)
verarbeitet werden!

Strickmuster

Patentmuster

Das plastische Rippenmuster kennt
man von sportlichen Stricksachen.
Klassisches Beispiel: der Seemanns-
pullover.
Die Maschenzahl muß durch 2 teilbar sein, damit der Musterrapport
aufgeht.
1. Reihe: * 1 M. re., 1 Umschl., 1 M.
wie zum Linksstricken abheben, ab *
fortlfd. wiederholen.
2. Reihe: * die abgehobene M. der
Vorreihe mit dem Umschl. re. zus.str.,
1 Umschl., 1 M. wie zum Linksstrik-
ken abheben, ab * fortlfd. wiederholen.
Die 2. Reihe fortlaufend wiederholen.

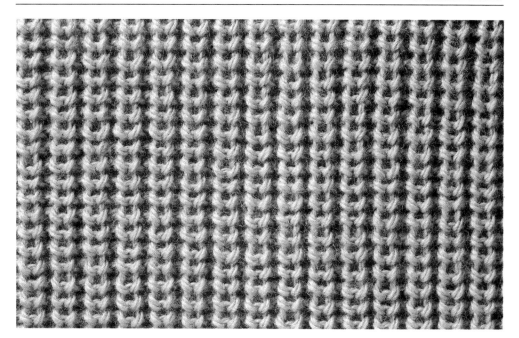

Halbpatentmuster

Dieses Muster unterscheidet sich vom Patentmuster durch weniger plastische Rippen. Es eignet sich gut für große Rollkragen an glatt gestrickten Pullovern.

Die Maschenzahl muß durch 2 teilbar sein, damit der Musterrapport aufgeht.

1. Reihe: ∗ 1 M. re., 1 Umschl., 1 M. wie zum Linksstricken abheben, ab ∗ fortlfd. wiederholen.

2. Reihe: ∗ die abgehobene M. der Vorreihe mit dem Umschl. re. zus.str., 1 M. li., ab ∗ fortlfd. wiederholen.

Die 1. und 2. Reihe fortlaufend wiederholen.

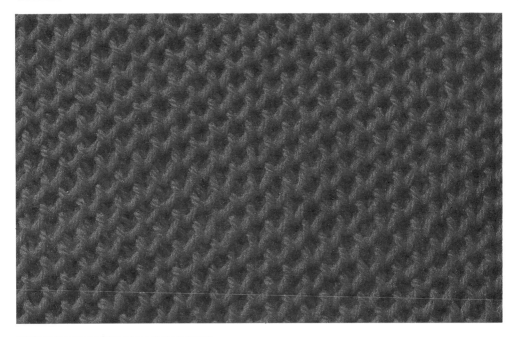

Netzpatentmuster

Dieses Muster kommt auf großen Jacken und Pullovern besonders gut zur Geltung. Es erfordert etwas Aufmerksamkeit beim Stricken – aber die schöne Wirkung belohnt die Mühe. Das Muster erscheint auf der linken Seite! Die Maschenzahl muß durch 2 teilbar sein, damit der Musterrapport aufgeht. Dazu kommt an jeder Seite 1 Randmasche.

1. Reihe: 1 Randm., * 1 Umschl., die folg. M. wie zum Linksstricken abheben, 1 M. re., ab * fortlfd. wiederholen, 1 Randm.

2. Reihe: 1 Randm., * 2 M. re., den Umschl. der Vorreihe wie zum Linksstricken abheben (der Faden liegt hinter dem Umschl.), ab * fortlfd. wiederholen, 1 Randm.

3. Reihe: 1 Randm., * die folg. M. mit dem Umschl. re. zus.str., 1 Umschl., 1 M. wie zum Linksstricken abheben, ab * fortlfd. wiederholen, 1 Randm.

4. Reihe: 1 Randm., 1 M. re., * den Umschl. der Vorreihe wie zum Linksstricken abheben (der Faden liegt hinter dem Umschl.), 2 M. re., ab * fortlfd. wiederholen. Die Reihe endet: den Umschl. der Vorr. wie zum Linksstricken abheben (der Faden liegt hinter dem Umschl.), 1 M. re., 1 Randm.

5. Reihe: 1 Randm., * 1 Umschl., 1 M. wie zum Linksstricken abheben, die folg. M. mit dem Umschl. re. zus.-str., ab * fortlfd. wiederholen, 1 Randm. Die 2.–5. Reihe fortlaufend wiederholen.

Falsches Patentmuster

Dieses plastische Rippenmuster ist einfach zu stricken und kann bei allen sportlichen Modellen angewandt werden.
Die Maschenzahl muß durch 4 teilbar sein und 3 M., damit der Musterrapport aufgeht.
1. Reihe: ✳ 3 M. re., 1 M. li., ab ✳ fortlfd. wiederholen. Die Reihe endet mit 3 M. re.

2. Reihe: ✳ 1 M. re., 1 M. li., 2 M. re., ab ✳ fortlfd. wiederholen. Die Reihe endet mit 1 M. re., 1 M. li., 1 M. re.
Die 1. und 2. Reihe fortlaufend wiederholen.

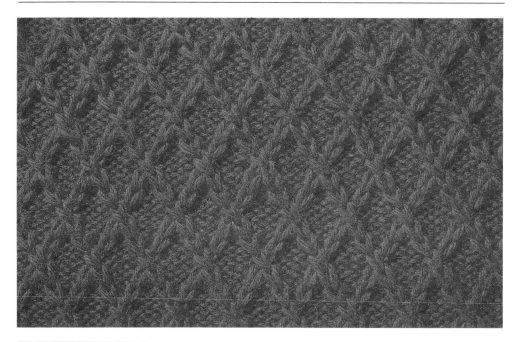

Gittermuster

Ein schönes, flächiges Muster für sportliche Pullis.
Die Maschenzahl muß durch 6 teilbar sein, damit der Musterrapport aufgeht. Dazu kommt an jeder Seite 1 Randmasche.

1. Reihe: 1 Randm., 1 M. re., * 4 M. li., 2 M. re., ab * fortlfd. wiederh. Die Reihe endet mit 4 M. li., 1 M. re., 1 Randm.

2. Reihe: 1 Randm., 1 M. li., * 4 M. re., 2 M. li., ab * fortlfd. wiederholen. Die R. endet: 4 M. re., 1 M. li., 1 Randm.

3. Reihe: 1 Randm., * 1 M. auf einer Hilfsnadel vor die Arbeit legen, 1 M. li., die M. der Hilfsnadel re., 2 M. li., 1 M. auf einer Hilfsnadel hinter die Arbeit legen, 1 M. re., die M. der Hilfsnadel li., ab * fortlfd. wiederh., 1 Randm.

4. Reihe: 1 Randm., alle re. erscheinenden M. werden re. gestrickt. Alle li. M. werden li. abgehoben, dabei liegt der Faden vor der M., 1 Randm.

5. Reihe: 1 Randm., 1 M. li., * 1 M. auf einer Hilfsnadel vor die Arbeit legen, 1 M. li., die M. der Hilfsnadel re., 1 M. auf einer Hilfsnadel hinter die Arbeit legen, 1 M. re., die M. der Hilfsnadel li., 2 M. li., ab * fortlfd. wiederh. Die Reihe endet mit 1 M. auf einer Hilfsnadel vor die Arbeit legen, 1 M. li., die M. der Hilfsnadel re., 1 M. auf einer Hilfsnadel hinter die Arbeit legen, 1 M. re., die M. der Hilfsnadel li., 1 M. li., 1 Randm.

6. Reihe: genau wie die 4. Reihe.

7. Reihe: 1 Randm., 2 M. li., * 1 M. auf einer Hilfsnadel vor die Arbeit legen, 1 M. re., die M. der Hilfsnadel re., 4 M. li., ab * fortlfd. wiederholen. Die Reihe endet mit 1 M. auf einer Hilfsnadel vor die Arbeit legen, 1 M. re., die M. der Hilfsnadel re., 2 M. li., 1 Randm.

8. Reihe: genau wie die 4. Reihe.

9. Reihe: 1 Randm., 1 M. li., * 1 M. auf einer Hilfsnadel hinter die Arbeit legen, 1 M. re., die M. der Hilfsnadel

li., 1 M. auf einer Hilfsnadel vor die Arbeit legen, 1 M. li., die M. der Hilfsnadel re., 2 M. li., ab * fortlfd. wiederholen. Die Reihe endet mit 1 M. auf einer Hilfsnadel hinter die Arbeit legen, 1 M. re., die M. der Hilfsnadel li., 1 M. auf einer Hilfsnadel vor die Arbeit legen, 1 M. li., die M. der Hilfsnadel re., 1 M. li., 1 Randm.

10. Reihe: genau wie die 4. Reihe.

11. Reihe: 1 Randm., * 1 M. auf einer Hilfsnadel hinter die Arbeit legen, 1 M. re., die M. der Hilfsnadel li., 2 M. li., 1 M. auf einer Hilfsnadel vor die Arbeit legen, 1 M. li., die M. der Hilfsnadel re., ab * fortlfd. wiederh., 1 Randm.

12. Reihe: genau wie die 4. Reihe.

13. Reihe: 1 Randm., 1 M. re., * 4 M. li., 1 M. auf einer Hilfsnadel vor die Arbeit legen, 1 M. re., die M. der Hilfsnadel re., ab * fortlfd. wiederholen. Die Reihe endet mit 4 M. li., 1 M. re., 1 Randm.

14. Reihe: genau wie die 4. Reihe.

Die 3.–14. Reihe fortlfd. wiederholen.

Persianermuster

Dieses Muster findet man oft bei den typisch irischen Pullovern. Es wird gern mit Zöpfen und anderen plastischen Strickarten kombiniert.

Das Muster erscheint auf der linken Seite! Die Maschenzahl muß durch 4 teilbar sein, damit der Musterrapport aufgeht. Dazu kommt an jeder Seite 1 Randmasche.

1. Reihe: 1 Randm., * aus der folg. Masche 1 M. re., 1 M. li., 1 M. re. herausstr., 3 M. li. zus.str., ab * fortlfd. wiederholen, 1 Randm.

2. Reihe: links

3. Reihe: 1 Randm., * 3 M. li. zus.str., aus der folg. Masche 1 M. re., 1 M. li. 1 M. re. herausstr., ab * fortlfd. wiederholen, 1 Randm.

4. Reihe: links

Die 1.–4. Reihe fortlaufend wiederholen.

Kordelmuster

An Kordeln erinnert dieses Muster,
das man mit unterschiedlich großen
Abständen zwischen den Musterrei-
hen arbeiten kann. Am besten dafür:
glatte, dicke Wolle.
Die Maschenzahl muß durch 2 teilbar sein, damit der Musterraport aufgeht. Dazu kommt an jeder Seite
1 Randmasche.
1. Reihe: rechts
2. Reihe: links
3. Reihe: rechts
4. Reihe: links
5. Reihe: 1 Randm., * 1 M. li., 1 M. li.
abheben (der Faden liegt vor der M.),
ab * fortlfd. wiederholen, 1 Randm.
6. Reihe: 1 Randm., * 1 M. re., 1 M.
li. abheben (der Faden liegt hinter der
M.), ab * fortlfd. wiederholen,
1 Randm.
Die 1.–6. Reihe fortlaufend wiederholen.

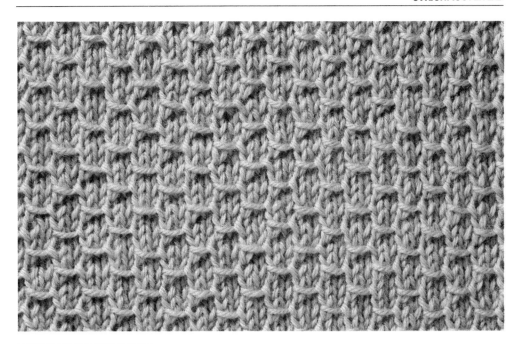

Kornmuster

An Getreidekörner erinnert dieses Muster. Die gleichmäßige Struktur entsteht durch Umschläge und glatt rechts gestrickte Maschen in den Hinreihen.

Die Maschenzahl muß durch 4 teilbar sein, damit der Musterrapport aufgeht. Dazu kommt an jeder Seite 1 Randmasche.

1. Reihe: 1 Randm., * 1 Umschl., 2 M. re. und den Umschl. über diese beiden M. ziehen, 2 M. re., ab * fortlfd. wiederholen, 1 Randm.

2. Reihe: links

3. Reihe: 1 Randm., * 2 M. re., 1 Umschl., 2 M. re. und den Umschl. über diese beiden M. ziehen, ab * fortlfd. wiederholen, 1 Randm.

4. Reihe: links

Die 1.–4. Reihe fortlaufend wiederholen.

Geflochtenes Zopfmuster

Wie ein echter geflochtener Zopf sieht dieses Muster aus. Man kann eine ganze Fläche aus Zöpfen arbeiten oder auch einen Zopf allein als Zierde einsetzen.

Die Maschenzahl muß durch 16 teilbar sein, damit der Musterrapport aufgeht. Dazu kommt an jeder Seite 1 Randmasche.

1. Reihe: 1 Randm., ∗ 2 M. re., 2 M. li., 9 M. re., 2 M. li., 1 M. re., ab ∗ fortlfd. wiederholen, 1 Randm.

2. Reihe: 1 Randm., ∗ 1 M. li., 2 M. re., 9 M. li., 2 M. re., 2 M. li., ab ∗ fortlfd. wiederholen, 1 Randm.

3. Reihe: 1 Randm., ∗ 2 M. re., 2 M. li., 3 M. auf einer Hilfsnadel hinter die Arbeit legen, 3 M. re., die M. der Hilfsnadel re., 3 M. re., 2 M. li., 1 M. re., ab ∗ fortlfd. wiederholen, 1 Randm.

4. Reihe: genau wie die 2. Reihe.

5. Reihe: genau wie die 1. Reihe.

6. Reihe: genau wie die 2. Reihe.

7. Reihe: 1 Randm., ∗ 2 M. re., 2 M. li., 3 M. re., 3 M. auf einer Hilfsnadel vor die Arbeit legen, 3 M. re., die M. der Hilfsnadel re., 2 M. li., 1 M. re., ab ∗ fortlfd. wiederholen, 1 Randm.

8. Reihe: genau wie die 2. Reihe.

Die 1.–8. Reihe fortlaufend wiederholen.

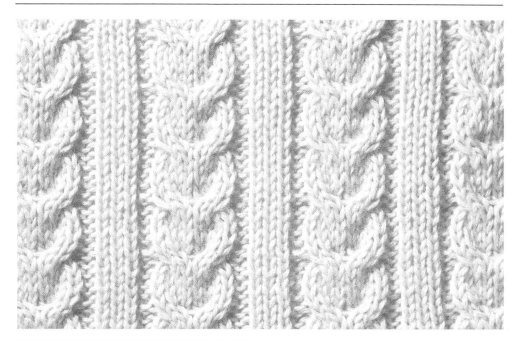

Doppeltes Zopfmuster

Aus der Kombination von nach rechts und nach links gedrehten Zöpfen ergibt sich dieser wirkungsvolle Doppelzopf.
Die Maschenzahl muß durch 15 teilbar sein, damit der Musterrapport aufgeht. Dazu kommt an jeder Seite 1 Randmasche.

1. Reihe: 1 Randm., * 2 M. re., 2 M. li., 8 M. re., 2 M. li., 1 M. re., ab * fortlfd. wiederholen, 1 Randm.

2. Reihe: 1 Randm., * 1 M. li., 2 M. re., 8 M. li., 2 M. re., 2 M. li., ab * fortlfd. wiederholen, 1 Randm.

3. Reihe: genau wie die 1. Reihe.

4. Reihe: genau wie die 2. Reihe.

5. Reihe: 1 Randm., * 2 M. re., 2 M. li., 2 M. auf einer Hilfsnadel hinter die Arbeit legen, 2 M. re., die M. der Hilfsnadel re., 2 M. auf einer Hilfsnadel vor die Arbeit legen, 2 M. re., die M. der Hilfsnadel re., 2 M. li., 1 M. re., ab * fortlfd. wiederholen, 1 Randm.

6. Reihe: genau wie die 2. Reihe.
Die 1.–6. Reihe fortlaufend wiederholen.

Flächiges Zopfmuster

Dieses Zopfmuster wirkt besonders gut in glatter, dicker Wolle und eignet sich für Herren- und für Damenpullover mit sportlichem Charakter. Die Maschenzahl muß durch 9 teilbar sein, damit der Musterrapport aufgeht. Dazu kommt an jeder Seite 1 Randmasche.

1. Reihe: 1 Randm., ∗ 3 M. re., 3 M. auf einer Hilfsnadel vor die Arbeit legen, 3 M. re., die M. der Hilfsnadel re., ab ∗ fortlfd. wiederholen, 1 Randm.

2. Reihe: links
3. Reihe: rechts
4. Reihe: links
5. Reihe: rechts
6. Reihe: links
7. Reihe: 1 Randm., ∗ 3 M. auf einer Hilfsnadel hinter die Arbeit legen, 3 M. re., die M. der Hilfsnadel re., 3 M. re. ab ∗ fortlfd. wiederholen, 1 Randm.
8. Reihe: links
9. Reihe: rechts
10. Reihe: links
11. Reihe: rechts
12. Reihe: links
Die 1.–12. Reihe fortlaufend wiederholen.

Wabenmuster

An Bienenwaben erinnert dieses Muster. Als ganze Fläche wird es oft bei Herrenpullovern eingesetzt. Es hebt sich aber auch als Mittelstreifen gut von anderen plastischen Mustern ab. Die Maschenzahl muß durch 8 teilbar sein, damit der Musterrapport aufgeht. Dazu kommt an jeder Seite 1 Randmasche.

1. Reihe: 1 Randm., ∗ 2 M. auf einer Hilfsnadel vor die Arbeit legen, 2 M. re., die M. der Hilfsnadel re., 2 M. auf einer Hilfsnadel hinter die Arbeit legen, 2 M. re., die M. der Hilfsnadel re., ab ∗ fortlfd. wiederholen, 1 Randm.

2. Reihe: links
3. Reihe: rechts
4. Reihe: links
5. Reihe: rechts
6. Reihe: links

7. Reihe: 1 Randm., ∗ 2 M. auf einer Hilfsnadel hinter die Arbeit legen, 2 M. re., die M. der Hilfsnadel re., 2 M. auf einer Hilfsnadel vor die Arbeit legen, 2 M. re., die M. der Hilfsnadel re., ab ∗ fortlfd. wiederholen, 1 Randm.

8. Reihe: links
9. Reihe: rechts
10. Reihe: links
11. Reihe: rechts
12. Reihe: links

Die 1.–12. Reihe fortlaufend wiederholen.

Schleifenmuster

Wie kleine Schleifchen wirkt dieses
Muster, das auch in Mohairwolle sehr
schmeichelhaft ist.
Die Maschenzahl muß durch 10 teilbar sein, damit der Musterrapport
aufgeht. Dazu kommt an jeder Seite
1 Randmasche.
1. Reihe: rechts
2. Reihe: links
3. Reihe: rechts
4. Reihe: links
5. Reihe: rechts

6. Reihe: 1 Randm., ∗ 1 M. li.,
1 Umschl., 4 M. li. zus.str., diese 4 M. jedoch nicht von der Nadel gleiten lassen, sondern nochmals re. zus.str.,
1 Umschl., 5 M. li., ab ∗ fortlfd. wiederholen, 1 Randm.
7. Reihe: rechts, auch die Umschl.
8. Reihe: links
9. Reihe: rechts
10. Reihe: links
11. Reihe: rechts
12. Reihe: 1 Randm., ∗ 6 M. li.,
1 Umschl., 4 M. li. zus.str., diese 4 M. jedoch nicht von der Nadel gleiten lassen, sondern nochmals re. zus.str.,
1 Umschl., ab ∗ fortlfd. wiederholen,
1 Randm.
13. Reihe: rechts, auch die Umschl.
Die 2.–13. Reihe fortlaufend wiederholen.

Schlingenmuster

Wenn man erst einmal den Bogen raus hat, reiht sich ganz schnell Schlinge an Schlinge. Aus diesem Muster lassen sich flauschige Jacken, Westen und Teppiche arbeiten.
Die Maschenzahl muß durch 2 teilbar sein, damit der Musterrapport aufgeht. Dazu kommt an jeder Seite 1 Randmasche.
1. Reihe: *rechts*
2. Reihe: *1 Randm., * 1 M. re., diese Masche jedoch auf der linken Nadel lassen, den Faden zwischen beiden Nadeln nach vorne holen und ihn um den linken Daumen führen, so daß eine Schlinge entsteht. Den Faden wieder nach hinten legen und aus der gleichen Masche 1 M re. str., 1 Umschl. und die beiden Maschen der rechten Nadel über diesen Umschlag ziehen, 1 M. re., ab * fortlfd. wiederholen, 1 Randm.*

3. Reihe: *rechts*
4. Reihe: *1 Randm., * 2 M. re., die letzte dieser Maschen jedoch auf der linken Nadel lassen, den Faden zwischen beiden Nadeln nach vorne holen und ihn um den linken Daumen führen, so daß eine Schlinge entsteht. Den Faden wieder nach hinten legen und aus der gleichen Masche 1 M. re. str., 1 Umschl. und die beiden Maschen der rechten Nadel über diesen Umschl. ziehen, ab * fortlfd. wiederholen, 1 Randm.*
Die 1.–4. Reihe fortlaufend wiederholen.

Noppenmuster

Für Noppen gibt es viele Möglichkeiten: Sie können in regelmäßigen Abständen eingestrickt werden, als einzelner Blickfang oder sich durch verschiedene Farben kunterbunt abheben.

Die Maschenzahl muß durch 6 teilbar sein, damit der Musterrapport aufgeht. Dazu kommt an jeder Seite 1 Randmasche.

1. Reihe: rechts
2. Reihe: links
3. Reihe: 1 Randm., * 2 M. re., in die 3. M. eine **Noppe** arbeiten: 4 M. re. in diese M. str., dabei abwechselnd 1mal von vorne und 1mal von hinten in die M. stechen, wenden, über diese 4 M. 4 R. glatt re. (Rückr. li., Hinr. re.) str. Dann mit der linken Nadel nacheinander zuerst die 3., dann die 2. und die 1. M. über die 4. M. ziehen, 3 M. re., ab * fortlfd. wiederholen, 1 Randm.
4. Reihe: links
5. Reihe: rechts
6. Reihe: links
7. Reihe: rechts
8. Reihe: links
9. Reihe: 1 Randm., * 5 M. re., in die 6. M. eine Noppe wie beschrieben arbeiten, ab * fortlfd. wiederholen, 1 Randm.
10. Reihe: links
11. Reihe: rechts
12. Reihe: links
Die 1.–12. Reihe fortlaufend wiederholen.

Gezopftes Rippenmuster

Ein plastisches Rippenmuster, das sich besonders für dicke, sportliche Pullis und Mützen aus glatter Wolle eignet. Man kann es aber auch aus grob gesponnener Naturwolle stricken. Die Maschenzahl muß durch 6 teilbar sein, damit der Musterrapport aufgeht. Dazu kommt an jeder Seite 1 Randmasche.

1. Reihe: 1 Randm., * 1 M. li., 1 M. auf einer Hilfsnadel vor die Arbeit legen, 1 M. re., die M. der Hilfsnadel re., 1 M. auf einer Hilfsnadel hinter die Arbeit legen, 1 M. re., die M. der Hilfsnadel re., 1 M. li., ab * fortlfd. wiederholen, 1 Randm.

2. Reihe: 1 Randm., * 1 M. re., 4 M. li., 1 M. re., ab * fortlfd. wiederholen, 1 Randm.

3. Reihe: 1 Randm., * 1 M. li., 1 M. wie zum Linksstricken abheben (der Faden liegt hinter der M.), 2 M. re., 1 M. wie zum Linksstricken abheben (der Faden liegt hinter der M.), 1 M. li., ab * fortlfd. wiederholen, 1 Randm.

4. Reihe: 1 Randm., * 1 M. re., 1 M. wie zum Linksstricken abheben (der Faden liegt vor der M.), 2 M. li., 1 M. wie zum Linksstricken abheben (der Faden liegt vor der M.), 1 M. re., ab * fortlfd. wiederholen, 1 Randm.
Die 1.–4. Reihe fortlaufend wiederholen.

1

2

3

4

Blattmuster

Die verschieden großen Blätter liegen immer auf links gestricktem Grund. Sie sehen als flächiges Muster, aber auch als einzelnes Motiv interessant aus.

1. Blattmuster

Die Maschenzahl muß durch 4 teilbar sein, damit der Musterrapport aufgeht. Dazu kommt an jeder Seite 1 Randmasche.

1. Reihe: 1 Randm., * 2 M. li., in die folgende Masche 1 M. re., 1 Umschl., 1 M. re. str., 1 M. li., ab * fortlfd. wiederholen, 1 Randm.

2. Reihe: die M. str., wie sie erscheinen, alle Umschl. li.

3. Reihe: die M. str., wie sie erscheinen.

4. Reihe: 1 Randm., * 1 M. re., 3 M. li. zus.str., 2 M. re., ab * fortlfd. wiederholen, 1 Randm.

5. Reihe: links

6. Reihe: rechts

7. Reihe: 1 Randm., * in die folgende Masche 1 M. re., 1 Umschl., 1 M. re. str., 3 M. li., ab * fortlfd. wiederholen, 1 Randm.

8. Reihe: die M. str., wie sie erscheinen, alle Umschl. li.

9. Reihe: die M. str., wie sie erscheinen.

10. Reihe: 1 Randm., * 3 M. re., 3 M. li. zus.str., ab * fortlfd. wiederholen, 1 Randm.

11. Reihe: links

12. Reihe: rechts

Die 1.–12. Reihe kann fortlaufend wiederholt werden.

2. Blattmuster

Die Maschenzahl muß durch 6 teilbar sein, damit der Musterrapport aufgeht. Dazu kommt an jeder Seite 1 Randmasche.

1. Reihe: 1 Randm., * 2 M. li., 1 Umschl., 1 M. re., 1 Umschl., 3 M. li., ab * fortlfd. wiederholen, 1 Randm.

2. Reihe: die M. str., wie sie erscheinen, alle Umschl. li.

3. Reihe: 1 Randm., * 2 M. li., 1 Umschl., 3 M. re., 1 Umschl., 3 M. li., ab * fortldf. wiederholen, 1 Randm.

4. Reihe: die M. str., wie sie erscheinen, alle Umschl. li.

5. Reihe: 1 Randm., * 2 M. li., 1 Umschl., 1 M. re., 2 M. wie zum Rechtsstricken zus. abheben, 1 M. re. und die abgeh. Maschen darüberziehen, 1 M. re., 1 Umschl., 3 M. li., ab * fortlfd. wiederholen, 1 Randm.

6. Reihe: die M. str., wie sie erscheinen, alle Umschl. li.

7. Reihe: genau wie die 5. Reihe.

8. Reihe: die M. str., wie sie erscheinen, alle Umschl. li.

9. Reihe: genau wie die 5. Reihe.

10. Reihe: die M. str., wie sie erscheinen, alle Umschl. li.

11. Reihe: 1 Randm., * 2 M. li., 1 M. re., 2 M. wie zum Rechtsstricken zus. abheben, 1 M. re. und die abgeh. Maschen darüberziehen, 1 M. re., 3 M. li., ab * fortlfd. wiederholen, 1 Randm.

12. Reihe: die M. str., wie sie erscheinen.

(weiter Seite 32)

13. Reihe: *1 Randm., ∗ 2 M. li., 2 M. wie zum Rechtsstricken zus. abheben, 1 M. re. und die abgeh. Maschen darüberziehen, 3 M. li., ab ∗ fortlfd. wiederholen, 1 Randm.*
14. Reihe: *rechts*
Die 1.–14. Reihe kann fortlaufend wiederholt werden. Man sollte dann das Muster versetzen. Die 1. Reihe würde lauten: 1 Randm., ∗ 5 M. li., 1 Umschl., 1 M. re., 1 Umschl., ab ∗ fortlfd. wiederholen, 1 Randm.

3. Blattmuster

Die Maschenzahl muß durch 6 teilbar sein, damit der Musterrapport aufgeht. Dazu kommt an jeder Seite 1 Randmasche.
1. Reihe: *1 Randm., ∗ 2 M. li., 1 M. re., 3 M. li., ab ∗ fortlfd. wiederholen, 1 Randm.*
2. Reihe: *die M. str., wie sie erscheinen.*
3. Reihe: *1 Randm., ∗ 2 M. li., 1 M. re., 1 Umschl., 3 M. li., ab ∗ fortlfd. wiederholen, 1 Randm.*
4. Reihe: *die M. str., wie sie erscheinen, alle Umschl. li.*
5. Reihe: *1 Randm., ∗ 2 M. li., 2 M. re., 1 Umschl., 3 M. li., ab ∗ fortlfd. wiederholen, 1 Randm.*
6. Reihe: *die M. str., wie sie erscheinen, alle Umschl. li.*
7. Reihe: *1 Randm., ∗ 2 M. li., 3 M. re., 1 Umschl., 3 M. li., ab ∗ fortlfd. wiederholen, 1 Randm.*
8. Reihe: *die M. str., wie sie erscheinen, alle Umschl. li.*

9. Reihe: *1 Randm., ∗ 2 M. li., 4 M. re., 1 Umschl., 3 M. li., ab ∗ fortlfd. wiederholen, 1 Randm.*
10. Reihe: *die M. str., wie sie erscheinen, alle Umschl. li.*
11. Reihe: *1 Randm., ∗ 2 M. li., 2 M. re. zus.str., 3 M. re., 3 M. li., ab ∗ fortlfd. wiederholen, 1 Randm.*
12. Reihe: *die M. str., wie sie erscheinen.*
13. Reihe: *1 Randm., ∗ 2 M. li., 2 M. re. zus.str., 2 M. re., 3 M. li., ab ∗ fortlfd. wiederholen, 1 Randm.*
14. Reihe: *die M. str., wie sie erscheinen.*
15. Reihe: *1 Randm., ∗ 2 M. li., 2 M. re. zus.str., 1 M. re., 3 M. li., ab ∗ fortlfd.wiederholen, 1 Randm.*
16. Reihe: *die M. str., wie sie erscheinen.*
17. Reihe: *1 Randm., ∗ 2 M. li., 2 M. re. zus.str., 3 M. li., ab ∗ fortlfd. wiederholen, 1 Randm.*
18. Reihe: *rechts*
Die 1.–18. Reihe kann fortlaufend wiederholt werden. Man sollte dann das Muster versetzen. Die 1. Reihe würde lauten: 1 Randm., ∗ 5 M. li., 1 M. re., ab ∗ fortlfd. wiederholen, 1 Randm.

4. Blattmuster

Die Maschenzahl muß durch 6 teilbar sein, damit der Musterrapport aufgeht. Dazu kommt an jeder Seite 1 Randmasche.
1. Reihe: *1 Randm., ∗ 3 M. li., 1 M. auf einer Hilfsnadel hinter die Arbeit legen, 1 M. re., die M. der Hilfsnadel li., 1 M. li., ab ∗ fortlfd. wiederholen, 1 Randm.*
2. Reihe: *die M. str., wie sie erscheinen.*
3. Reihe: *1 Randm., ∗ 2 M. li., 1 M. auf einer Hilfsnadel hinter die Arbeit legen, 1 M. re., die M. der Hilfsnadel li., 2 M. li., 1 Randm.*
4. Reihe: *die M. str., wie sie erscheinen.*
5. Reihe: *1 Randm., ∗ 2 M. li., 1 Umschl., 1 M. re., 1 Umschl., 3 M. li., ab ∗ fortlfd. wiederholen, 1 Randm.*
6. Reihe: *die M. str., wie sie erscheinen, alle Umschl. li.*
7. Reihe: *1 Randm., ∗ 2 M. li., 1 M. re., 1 Umschl., 1 M. re., 1 Umschl., 1 M. re., 3 M. li., ab ∗ fortlfd. wiederholen, 1 Randm.*
8. Reihe: *die M. str., wie sie erscheinen, alle Umschl. li.*
9. Reihe: *1 Randm., ∗ 2 M. li., 2 M. re., 1 Umschl., 1 M. re., 1 Umschl., 2 M. re., 3 M. li., ab ∗ fortlfd. wiederholen, 1 Randm.*
10. Reihe: *die M. str., wie sie erscheinen, alle Umschl. li.*
11. Reihe: *1 Randm., ∗ 2 M. li., 3 M. re., 1 Umschl., 1 M. re., 1 Umschl., 3 M. re., 3 M. li., ab ∗ fortlfd. wiederholen, 1 Randm.*
12. Reihe: *die M. str., wie sie erscheinen, alle Umschl. li.*
13. Reihe: *1 Randm., ∗ 2 M. li., 1 M. abheben, 1 M. re. und die abgeh. M. darüberziehen, 5 M. re., 2 M. re. zus.str., 3 M. li., ab ∗ fortlfd. wiederholen, 1 Randm.*
14. Reihe: *die M. str., wie sie erscheinen.*
15. Reihe: *1 Randm., ∗ 2 M. li., 1 M. abheben, 1 M. re. und die abgeh. M. darüberziehen, 3 M. re., 2 M. re. zus.str., 3 M. li., ab ∗ fortlfd. wiederholen, 1 Randm.*
16. Reihe: *die M. str., wie sie erscheinen.*
17. Reihe: *1 Randm., ∗ 2 M. li., 1 M. abheben, 1 M. re. und die abgeh. M. darüberziehen, 1 M. re., 2 M. re. zus.str., 3 M. li., ab ∗ fortlfd. wiederholen, 1 Randm.*
18. Reihe: *die M. str., wie sie erscheinen.*
19. Reihe: *1 Randm., ∗ 2 M. li., 1 M. abheben, 2 M. re. zus.str. und die abgeh. M. darüberziehen, 3 M. li., ab ∗ fortlfd. wiederholen, 1 Randm.*
20. Reihe: *rechts*
Die 1.–20. Reihe kann fortlaufend wiederholt werden. Man sollte dann das Muster versetzen. Die 1. Reihe würde lauten: 1 Randm., 2 M. re., ∗ 4 M. li., 1 M. auf einer Hilfsnadel hinter die Arbeit legen, 1 M. re., die M. der Hilfsnadel re.

Streifenlochmuster

Die waagerechte Wirkung wird durch kraus rechts gestrickte Rippen zwischen den Lochreihen betont. Gut geeignet für Baumwolle und glatte Wolle.
Die Maschenzahl muß durch 2 teilbar sein, damit der Musterrapport aufgeht. Dazu kommt an jeder Seite 1 Randmasche.
1. Reihe: rechts
2. Reihe: rechts
3. Reihe: rechts
4. Reihe: links

5. Reihe: 1 Randm., * 1 Umschl., 2 M. re. zus.str., ab * fortlfd. wiederholen, 1 Randm.
6. Reihe: links, auch die Umschl.
Die 1.–6. Reihe fortlaufend wiederholen.

Flächenlochmuster

Wie ein dichtes Netz wirkt dieses flächige Muster. Es ist ideal für Sommerpullis oder feine Schals und Tücher aus Seidengarn.
Die Maschenzahl muß durch 3 teilbar sein, damit der Musterrapport aufgeht. Dazu kommt an jeder Seite 1 Randmasche.

1. Reihe: rechts
2. Reihe: 1 Randm., * 1 M. re. abheben, 2 M. re. und die abgeh. M. über die beiden M. ziehen, 1 Umschl., ab * fortlfd. wiederholen, 1 Randm.
3. Reihe: rechts
4. Reihe: 1 Randm., 1 M. re., * 1 Umschl., 1 M. re. abheben, 2 M. re. und die abgeh. M. über die beiden M. ziehen, ab * fortlfd. wiederholen.
Die Reihe endet: 1 Umschl., 1 M. re. abheben, 1 M. re. und die abgeh. M. darüberziehen, 1 Randm.
Die 1.–4. Reihe fortlaufend wiederholen.

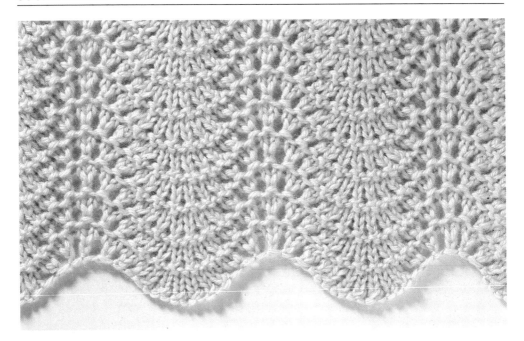

Wellenmuster

Ideal für große Tücher und Schals oder Jacken. Durch breite farbige Streifen werden die Wellenlinien hübsch betont.

Die Maschenzahl muß durch 18 teilbar sein, damit der Musterrapport aufgeht. Dazu kommt an jeder Seite 1 Randmasche.

1. Reihe: *1 Randm., * 3mal je 2 M. re. zus.str., 6mal je 1 M. re. und 1 Umschl., 3mal je 2 M. re. zus.str., ab * fortlfd. wiederholen, 1 Randm.*

2. Reihe: *links, auch die Umschl.*

3. Reihe: *rechts*

4. Reihe: *rechts*

Die 1.–4. Reihe fortlaufend wiederholen.

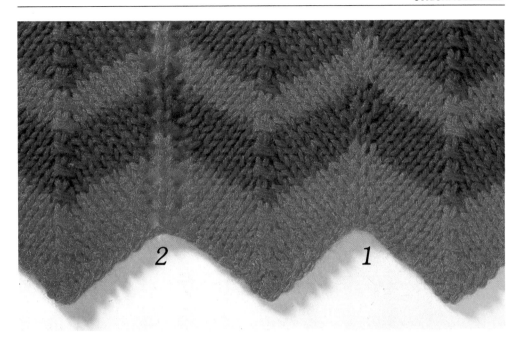

Zackenmuster

Durch regelmäßiges Zu- und Abnehmen entstehen die Zickzacklinien. Das Muster eignet sich gut für Flächen bei Tüchern, Jacken oder Röcken mit Saumbetonung.

1. Zackenmuster ohne Lochreihe

Die Maschenzahl muß durch 16 teilbar sein und 1 M., damit der Musterrapport aufgeht. Dazu kommt an jeder Seite 1 Randmasche.
1. Reihe: 1 Randm., * 1 M. re., aus dem Querfaden der Vorreihe 1 M. re. verschränkt herausstr., 6 M. re., 1 M. abheben, 2 M. re. zus.str. und die abgeh. M. darüberziehen, 6 M. re., aus dem Querfaden der Vorreihe 1 M. re. verschränkt herausstr., ab * fortlfd. wiederholen.
Die Reihe endet mit 1 M. re., 1 Randm.

2. Reihe: links
Die 1. und 2. Reihe fortlaufend wiederholen.

2. Zackenmuster mit Lochreihe

Die Maschenzahl muß durch 16 teilbar sein und 1 M., damit der Musterrapport aufgeht. Dazu kommt an jeder Seite 1 Randmasche.
1. Reihe: 1 Randm., * 1 M. re., 1 Umschl., 6 M. re., 1 M. abheben, 2 M. re. zus.str. und die abgeh. M. darüberziehen, 6 M. re., 1 Umschl., ab * fortlfd. wiederholen. Die Reihe endet mit 1 M. re., 1 Randm.
2. Reihe: links, auch die Umschl.
Die 1. und 2. Reihe fortlaufend wiederholen.

Fischgrätenlochmuster

An Fischgräten erinnert dieses streifige Lochmuster. Man kann es für einen ganzen Pullover verwenden oder auch als Passe arbeiten.
Die Maschenzahl muß durch 13 teilbar sein, damit der Musterrapport aufgeht. Dazu kommt an jeder Seite 1 Randmasche.

1. Reihe: 1 Randm., ∗ 1 M. re., 2 M. re. zus.str., 1 Umschl., 2 M. re. zus.str., 1 Umschl., 3 M. re., 1 Umschl., 1 M. abheben, 1 M. re. und die abgeh. M. darüberziehen, 1 Umschl., 1 M. abheben, 1 M. re. und die abgeh. M. darüberziehen, 1 M. re., ab ∗ fortlfd. wiederholen, 1 Randm.

2. Reihe: links, auch die Umschl.

3. Reihe: 1 Randm., ∗ 2 M. re., 2 M. re. zus.str., 1 Umschl., 2 M. re. zus.str., 1 Umschl., 1 M. re., 1 Umschl., 1 M. abheben, 1 M. re. und die abgeh. M. darüberziehen, 1 Umschl., 1 M. abheben, 1 M. re. und die abgeh. M. darüberziehen, 2 M. re., ab ∗ fortlfd. wiederholen, 1 Randm.

4. Reihe: links, auch die Umschl.
Die 1.–4. Reihe fortlaufend wiederholen.

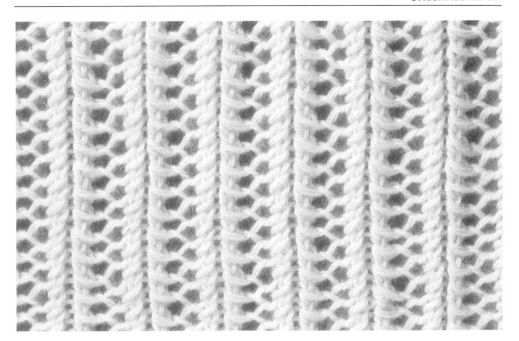

Rippenlochmuster

Dieses luftig-leichte Muster verstrickt man zu transparenten Sommerpullis, oder man benutzt es als effektvollen Einsatz bei glattgestrickten Flächen. Die Maschenzahl muß durch 5 teilbar sein und 1 M., damit der Musterrapport aufgeht. Dazu kommt an jeder Seite 1 Randmasche.

1. Reihe: 1 Randm., 1 M. li., ✳ 2 M. re., 1 Umschl., 2 M. re. verschränkt zus.str., 1 M. li., ab ✳ fortlfd. wiederholen, 1 Randm.
2. Reihe: 1 Randm., 1 M. re., ✳ 1 M. li., den Umschl. der Vorreihe li., 1 Umschl., 2 M. li. zus.str., 1 M. re., ab ✳ fortlfd. wiederholen, 1 Randm.
3. Reihe: 1 Randm., 1 M. li., ✳ 1 M. re., den Umschl. der Vorreihe re., 1 Umschl., 2 M. re. verschränkt zus.str., 1 M. li., ab ✳ fortlfd. wiederholen, 1 Randm.
Die 2. und 3. Reihe fortlaufend wiederholen.

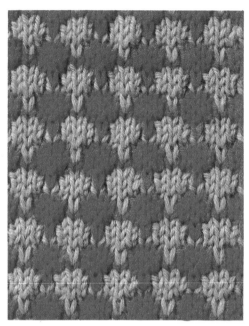 

Zweifarbiges Wendemuster

Von beiden Seiten wirkungsvoll ist dieses Wendemuster. Der plastische Effekt entsteht durch tiefgestochene Maschen.
Die Maschenzahl muß durch 4 teilbar sein und 3 M., damit der Musterrapport aufgeht. Dazu kommt an jeder Seite 1 Randmasche.

1. Reihe (Farbe I): rechts
2. Reihe (Farbe I): links
3. Reihe (Farbe II): rechts
4. Reihe (Farbe II): links
5. Reihe (Farbe II): rechts
6. Reihe (Farbe II): links
7. Reihe (Farbe I): 1 Randm., * 3 M. re., die 4. M. über alle 4 R. der Farbe II fallenlassen, die 1. M. der Farbe I und die 4 Fäden der Farbe II auf die Nadel nehmen und alles zus. als 1 re. M. str., ab * fortlfd. wiederholen. Die Reihe endet mit 3 M. re., 1 Randm.

8. Reihe (Farbe I): links
9. Reihe (Farbe I): rechts
10. Reihe (Farbe I): links
11. Reihe (Farbe II): 1 Randm., * 1 M. re., die 2. M. über alle 4 R. der Farbe I fallenlassen, die 1. M. der Farbe II und die 4 Fäden der Farbe I auf die Nadel nehmen und alles zus. als 1 re. M. str., 2 M. re., ab * fortlfd. wiederholen. Die Reihe endet mit 1 M. re., 1 M. über alle 4 R. der Farbe I fallenlassen, die 1. M. der Farbe II und die 4 Fäden der Farbe I auf die Nadel nehmen und alles zus. als 1 re. M. str., 1 M. re., 1 Randm.

12. Reihe (Farbe II): links
13. Reihe (Farbe II): rechts
14. Reihe (Farbe II): links
Die 7.–14. Reihe fortlaufend wiederholen.

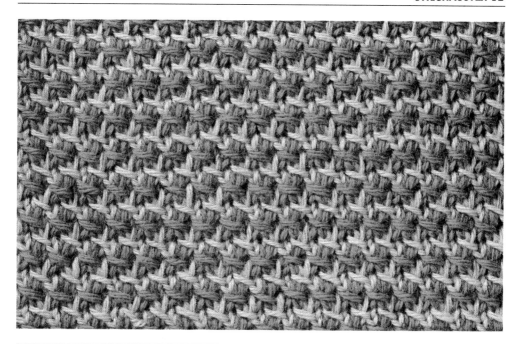

Hahnentrittmuster

Wie der klassische Stoff wird dieses Strickmuster immer in zwei Farben gearbeitet. Durch die teilweise übereinander liegenden Maschen ergibt sich eine sehr dichte Struktur. Es eignet sich daher gut für Jacken, Westen und Kostüme.

Die Maschenzahl muß durch 3 teilbar sein und 1 M., damit der Musterrapport aufgeht. Dazu kommt an jeder Seite 1 Randmasche.

1. Reihe (Farbe I): 1 Randm., 1 M. re., * 1 M. re. abheben, 1 Umschl., 1 M. re. abheben, 1 M. re. und die erste der abgeh. M. über die 3 M. ziehen, ab * fortlfd. wiederholen, 1 Randm.

2. Reihe (Farbe I): links, auch die Umschl.

3. Reihe (Farbe II): 1 Randm., * 1 M. re. abheben, 1 Umschl., 1 M. re. abheben, 1 M. re. und die erste der abgeh. M. über die 3 M. ziehen, ab * fortlfd. wiederholen. Die Reihe endet mit 1 M. re., 1 Randm.

4. Reihe (Farbe II): links, auch die Umschl.

Die 1.–4. Reihe fortlaufend wiederholen.

1

2

3

Spitzenborten

Ein hübscher Abschluß für Sommerröcke, für Wäsche und Handtücher sind diese feinen Baumwollborten.

1. Spitzenborte

8 Maschen anschlagen.
1. Reihe: *5 M. re., 1 Umschl., 1 M. re., 1 Umschl., 2 M. re.*
2. Reihe: *6 M. li., aus der folgenden Masche 1 M. re. und 1 M. re. verschränkt herausstricken, 3 M. re.*
3. Reihe: *4 M. re., 1 M. li., 2 M. re., 1 Umschl., 1 M. re., 1 Umschl., 3 M. re.*
4. Reihe: *8 M. li., aus der folgenden Masche 1 M. re. und 1 M. re. verschränkt herausstricken, 4 M. re.*
5. Reihe: *4 M. re., 2 M. li., 3 M. re., 1 Umschl., 1 M. re., 1 Umschl., 4 M. re.*
6. Reihe: *10 M. li., aus der folgenden Masche 1 M. re. und 1 M. re. verschränkt herausstricken, 5 M. re.*
7. Reihe: *4 M. re., 3 M. li., 4 M. re., 1 Umschl., 1 M. re., 1 Umschl., 5 M. re.*
8. Reihe: *12 M. li., aus der folgenden Masche 1 M. re. und 1 M. re. verschränkt herausstricken, 6 M. re.*
9. Reihe: *4 M. re., 4 M. li., 1 M. abheben, 1 M. re. und die abgeh. M. darüberziehen, 7 M. re., 2 M. re. zus.str., 1 M. re.*
10. Reihe: *10 M. li., aus der folgenden Masche 1 M. re. und 1 M. re. verschränkt herausstricken, 7 M. re.*
11. Reihe: *4 M. re., 5 M. li., 1 M. abheben, 1 M. re. und die abgeh. M. darüberziehen, 5 M. re., 2 M. re. zus.str., 1 M. re.*
12. Reihe: *8 M. li., aus der folgenden Masche 1 M. re. und 1 M. re. verschränkt herausstricken, 2 M. re., 1 M. li., 5 M. re.*
13. Reihe: *4 M. re., 1 M. li., 1 M. re.,*

4 M. li., 1 M. abheben, 1 M. re. und die abgeh. M. darüberziehen, 3 M. re., 2 M. re. zus.str., 1 M. re.
14. Reihe: *6 M. li., 4 M. re., 1 M. li., 5 M. re.*
15. Reihe: *4 M. re., 1 M. li., 1 M. re., 4 M. li., 1 M. abheben, 1 M. re. und die abgeh. M. darüberziehen, 1 M. re., 2 M. re. zus.str., 1 M. re.*
16. Reihe: *4 M. li., 4 M. re., 1 M. li., 5 M. re.*
17. Reihe: *4 M. re., 1 M. li., 1 M. re., 4 M. li., 1 M. abheben, 2 M. re. zus.str. und die abgeh. M. darüberziehen, 1 M. re.*
18. Reihe: *4 M. abketten, 3 M. li., 4 M. re.*
Die 1.–18. Reihe fortlaufend wiederholen.

2. Spitzenborte

11 Maschen anschlagen
1. Reihe: *1 M. re., 1 M. re. verschränkt, 1 Umschl., 1 M. re., 1 Umschl., 1 M. abheben, 1 M. re. und die abgeh. M. darüberziehen, 1 Umschl., 1 M. abheben, 1 M. re. und die abgeh. M. darüberziehen, 1 Umschl., 1 M. abheben, 1 M. re. und die abgeh. M. darüberziehen, 2 M. re.*
2. Reihe: *links, auch die Umschl.*
3. Reihe: *1 M. re., 1 M. re. verschränkt, 1 Umschl., 3 M. re., 1 Umschl., 1 M. abheben, 1 M. re. und die abgeh. M. darüberziehen, 1 Umschl., 1 M. abheben, 1 M. re. und die abgeh. M. darüberziehen, 1 Umschl., 1 M. abheben, 1 M. re. und die abgeh. M. darüberziehen, 1 M. re.*
4. Reihe: *links, auch die Umschl.*
5. Reihe: *1 M. re., 1 M. re. verschränkt, 1 Umschl., 5 M. re.,*

(weiter Seite 44)

1 Umschl., 1 M. abheben, 1 M. re. und die abgeh. M. darüberziehen,
1 Umschl., 1 M. abheben, 1 M. re. und die abgeh. M. darüberziehen, 2 M. re.
6. Reihe: links, auch die Umschl.
7. Reihe: 1 M. re., 1 M. re. verschränkt, 1 Umschl., 7 M. re.,
1 Umschl., 1 M. abheben, 1 M. re. und die abgeh. M. darüberziehen,
1 Umschl., 1 M. abheben, 1 M. re. und die abgeh. M. darüberziehen, 1 M. re.
8. Reihe: links, auch die Umschl.
9. Reihe: 1 M. abheben, 1 M. re. und die abgeh. M. darüberziehen, 1 M. re.,
1 Umschl., 1 M. abheben, 1 M. re. und die abgeh. M. darüberziehen, 3 M. re.,
2 M. re. zus.str., 1 Umschl., 2 M. re. zus.str., 1 Umschl., 3 M. re.
10. Reihe: links, auch die Umschl.
11. Reihe: 1 M. abheben, 1 M. re. und die abgeh. M. darüberziehen,
1 M. re., 1 Umschl., 1 M. abheben, 1 M. re. und die abgeh. M. darüberziehen,
1 M. re., 2 M. re. zus.str., 1 Umschl., 2 M. re. zus.str., 1 Umschl., 2 M. re.
zus.str., 1 Umschl., 2 M. re.
12. Reihe: links, auch die Umschl.
13. Reihe: 1 M. abheben, 1 M. re. und die abgeh. M. darüberziehen,
1 M. re., 1 Umschl., 1 M. abheben, 2 M. re. zus.str. und die abgeh. M. darüberziehen, 1 Umschl., 2 M. re.
zus.str., 1 Umschl., 2 M. re. zus.str.,
1 Umschl., 3 M. re.
14. Reihe: links, auch die Umschl.
15. Reihe: 1 M. abheben, 1 M. re. und die abgeh. M. darüberziehen,
2 M. re., 2 M. re. zus.str., 1 Umschl., 2 M. re. zus.str., 1 Umschl., 2 M. re. zus.str.,
1 Umschl., 2 M. re.
16. Reihe: links, auch die Umschl.
Die 1.–16. Reihe fortlaufend wiederholen.

3. Spitzenborte

10 Maschen anschlagen
1. Reihe: rechts
2. Reihe: rechts
3. Reihe: rechts
4. Reihe: rechts
5. Reihe: 1 Randm., 2 M. re.,
1 Umschl., 1 M. re., 1 Umschl., 1 M. re.,
aus dem Querfaden der Vorreihe
1 M. re. verschränkt herausstr., 1 M. re.,
1 Umschl., 1 M. re., 1 Umschl., 2 M. re.,
1 Randm.
6. Reihe: rechts, auch die Umschl.
7. Reihe: 1 Randm., 2 M. re.,
1 Umschl., 3 M. re. zus.str., 1 Umschl.,
2 M. re., aus dem Querfaden der Vorreihe 1 M. re. verschränkt herausstr.,
1 M. re., 1 Umschl., 3 M. re. zus.str.,
1 Umschl., 2 M. re., 1 Randm.
8. Reihe: rechts, auch die Umschl.
9. Reihe: 1 Randm., 2 M. re.,
1 Umschl., 3 M. re. zus.str., 1 Umschl.,
3 M. re., aus dem Querfaden der Vorreihe 1 M. re. verschränkt herausstr.,
1 M. re., 1 Umschl., 3 M. re. zus.str.,
1 Umschl., 2 M. re., 1 Randm.
10. Reihe: rechts, auch die Umschl.
11. Reihe: 1 Randm., 2 M. re.,
1 Umschl., 3 M. re. zus.str., 1 Umschl.,
4 M. re., aus dem Querfaden der Vorreihe 1 M. re. verschränkt herausstr.,
1 M. re., 1 Umschl., 3 M. re. zus.str.,
1 Umschl., 2 M. re., 1 Randm.
12. Reihe: rechts, auch die Umschl.

13. Reihe: *1 Randm., 2 M. re.,*
1 Umschl., 3 M. re. zus.str., 1 Umschl.,
5 M. re., aus dem Querfaden der Vor-
reihe 1 M. re. verschränkt herausstr.,
1 M. re., 1 Umschl., 3 M. re. zus.str.,
1 Umschl., 2 M. re., 1 Randm.
14. Reihe: *rechts, auch die Umschl.*
15. Reihe: *1 Randm., 2 M. re.,*
1 Umschl., 3 M. re. zus.str., 1 Umschl.,
6 M. re., aus dem Querfaden der Vor-
reihe 1 M. re. verschränkt herausstr.,
1 M. re., 1 Umschl., 3 M. re. zus.str.,
1 Umschl., 2 M. re., 1 Randm.
16. Reihe: *rechts, auch die Umschl.*
17. Reihe: *1 Randm., 2 M. re.,*
1 Umschl., 3 M. re. zus.str., 1 Umschl.,
7 M. re., aus dem Querfaden der Vor-
reihe 1 M. re. verschränkt herausstr.,
1 M. re., 1 Umschl., 3 M. re. zus.str.,
1 Umschl., 2 M. re., 1 Randm.
18. Reihe: *rechts, auch die Umschl.*
19. Reihe: *1 Randm., 2 M. re.,*
1 Umschl., 3 M. re. zus.str., 1 Umschl.,
6 M. re., 1 Umschl., 1 M. re., 1 Umschl.,
1 M. re., aus dem Querfaden der Vor-
reihe 1 M. re. verschränkt herausstr.,
1 M. re., 1 Umschl., 3 M. re. zus.str.,
1 Umschl., 2 M. re., 1 Randm.
20. Reihe: *rechts, auch die Umschl.*
21. Reihe: *1 Randm., 2 M. re.,*
1 Umschl., 3 M. re. zus.str., 1 Umschl.,
6 M. re., 1 Umschl., 3 M. re. zus.str.,
1 Umschl., 2 M. re., aus dem Querfaden
der Vorreihe 1 M. re. verschränkt her-
ausstr., 1 M. re., 1 Umschl., 3 M. re.
zus.str., 1 Umschl., 2 M. re., 1 Randm.
22. Reihe: *rechts, auch die Umschl.*
23. Reihe: *1 Randm., 2 M. re.,*
1 Umschl., 3 M. re. zus.str., 1 Umschl.,
6 M. re., 1 Umschl., 3 M. re. zus.str.,
1 Umschl., 3 M. re., aus dem Querfaden
der Vorreihe 1 M. re. verschränkt her-
ausstr., 1 M. re., 1 Umschl., 3 M. re.
zus.str., 1 Umschl., 2 M. re., 1 Randm.
24. Reihe: *rechts, auch die Umschl.*

25. Reihe: *9 M. abketten, 2 M. re.,*
1 Umschl., 3 M. re. zus.str., 1 Umschl.,
4 M. re., aus dem Querfaden der Vor-
reihe 1 M. re. verschränkt herausstr.,
1 M. re., 1 Umschl., 3 M. re. zus.str.,
1 Umschl., 2 M. re., 1 Randm.
26. Reihe: *rechts, auch die Umschl.*
27. Reihe: *1 Randm., 2 M. re.,*
1 Umschl., 3 M. re. zus.str., 1 Umschl.,
5 M. re., aus dem Querfaden der Vor-
reihe 1 M. re. verschränkt herausstr.,
1 M. re., 1 Umschl., 3 M. re. zus.str.,
1 Umschl., 2 M. re., 1 Randm.
28. Reihe: *rechts, auch die Umschl.*
29. Reihe: *1 Randm., 2 M. re.,*
1 Umschl., 3 M. re. zus.str., 1 Umschl.,
6 M. re., aus dem Querfaden der Vor-
reihe 1 M. re. verschränkt herausstr.,
1 M. re., 1 Umschl., 3 M. re. zus.str.,
1 Umschl., 2 M. re., 1 Randm.
30. Reihe: *rechts, auch die Umschl.*
31. Reihe: *1 Randm., 2 M. re.,*
1 Umschl., 3 M. re. zus.str., 1 Umschl.,
7 M. re., aus dem Querfaden der Vor-
reihe 1 M. re. verschränkt herausstr.,
1 M. re., 1 Umschl., 3 M. re. zus.str.,
1 Umschl., 2 M. re., 1 Randm.
32. Reihe: *rechts, auch die Umschl.*
Die 19.–32. Reihe fortlaufend wie-
derholen.

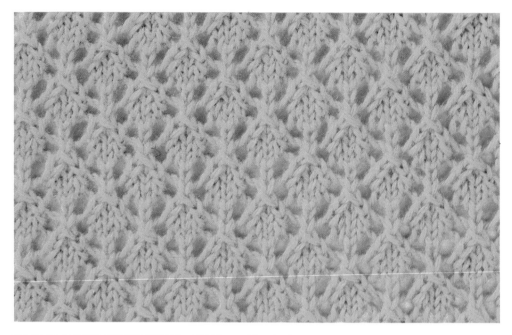

Kleines Rhombenlochmuster

Dieses kleine flächige Lochmuster empfiehlt sich für feine Pullover, für Dreieckstücher und Schals, aber auch für Einsätze.
Die Maschenzahl muß durch 6 teilbar sein, damit der Musterrapport aufgeht. Dazu kommt an jeder Seite 1 Randmasche.
1. Reihe: *1 Randm., * 1 Umschl., 3 M. re., 1 Umschl., 1 M. abheben, 2 M. re. zus.str. und die abgeh. M. darüberziehen, ab * fortlfd. wiederholen, 1 Randm.*
2. Reihe: *links, auch die Umschl.*
3. Reihe: *1 Randm., * 1 Umschl., 1 M. abheben, 1 M. re. und die abgeh. M. darüberziehen, 1 M. re., 2 M. re. zus.str., 1 Umschl., 1 M. re., ab * fortlfd. wiederholen, 1 Randm.*
4. Reihe: *links, auch die Umschl.*

5. Reihe: *1 Randm., * 1 M. re., 1 Umschl., 1 M. abheben, 2 M. re. zus.str. und die abgeh. M. darüberziehen, 1 Umschl., 2 M. re., ab * fortlfd. wiederholen, 1 Randm.*
6. Reihe: *links, auch die Umschl.*
7. Reihe: *1 Randm., * 2 M. re. zus.str., 1 Umschl., 1 M. re., 1 Umschl., 1 M. abheben, 1 M. re. und die abgeh. M. darüberziehen, 1 M. re., ab * fortlfd. wiederholen, 1 Randm.*
8. Reihe: *links, auch die Umschl.*
9. Reihe: *1 Randm., 4 M. re., * 1 Umschl., 1 M. abheben, 2 M. re. zus.str. und die abgeh. M. darüberziehen, 1 Umschl., 3 M. re., ab * fortlfd. wiederholen. Die Reihe endet mit 1 Umschl., 1 M. abheben, 1 M. re. und die abgeh. M. darüberziehen, 1 Randm.*
10. Reihe: *links, auch die Umschl.*
Die 3.–10. Reihe fortlaufend wiederholen.

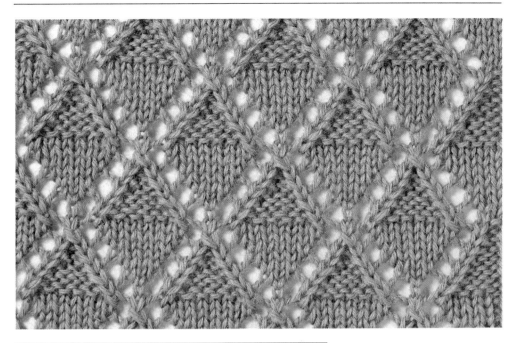

Großes Rhombenlochmuster

Dieses Muster erfordert etwas Aufmerksamkeit beim Stricken. Die Mühe lohnt sich jedoch, weil es in allen Garnarten (Angora, Baumwolle oder grobe Sportwolle) wirkungsvoll ist.

Die Maschenzahl muß durch 10 teilbar sein, damit der Musterrapport aufgeht. Dazu kommt an jeder Seite 1 Randmasche.

1. Reihe: 1 Randm., * 1 M. re., 1 Umschl., 1 M. abheben, 1 M. re. und die abgeh. M. darüberziehen, 5 M. li., 2 M. re. zus.str., 1 Umschl., ab * fortlfd. wiederholen, 1 Randm.

2. Reihe: die M. str., wie sie erscheinen, alle Umschl. links.

3. Reihe: 1 Randm., * 2 M. re., 1 Umschl., 1 M. abheben, 1 M. re. und die abgehobene M. darüberziehen, 3 M. li., 2 M. re. zus.str., 1 Umschl., 1 M. re., ab * fortlfd. wiederholen, 1 Randm.

4. Reihe: die M. str., wie sie erscheinen, alle Umschl. links.

5. Reihe: 1 Randm., * 3 M. re., 1 Umschl., 1 M. abheben, 1 M. re. und die abgehobene M. darüberziehen, 1 M. li., 2 M. re. zus.str., 1 Umschl., 2 M. re., ab * fortlfd. wiederholen, 1 Randm.

6. Reihe: die M. str., wie sie erscheinen, alle Umschl. links.

7. Reihe: 1 Randm., * 4 M. re., 1 Umschl., 1 M. abheben, 2 M. re. zus.str. und die abgeh. M. darüberziehen, 1 Umschl., 3 M. re., ab * fortlfd. wiederholen, 1 Randm.

8. Reihe: die M. str., wie sie erscheinen, alle Umschl. links.

9. Reihe: 1 Randm., * 3 M. li., 2 M. re. zus.str., 1 Umschl., 1 M. re., 1 Umschl., 1 M. abheben, 1 M. re. und die abgeh. M. darüberziehen, 2 M. li., ab * fortlfd. wiederholen, 1 Randm.

(weiter Seite 48)

10. Reihe: *die M. str., wie sie erscheinen, alle Umschl. links.*
11. Reihe: *1 Randm., * 2 M. li., 2 M. re. zus.str., 1 Umschl., 3 M. re., 1 Umschl., 1 M. abheben, 1 M. re. und die abgeh. M. darüberziehen, 1 M. li., ab * fortlfd. wiederholen, 1 Randm.*
12. Reihe: *die M. str., wie sie erscheinen, alle Umschl. links.*
13. Reihe: *1 Randm., * 1 M. li., 2 M. re. zus.str., 1 Umschl., 5 M. re., 1 Umschl., 1 M. abheben, 1 M. re. und die abgeh. M. darüberziehen, ab * fortlfd. wiederholen, 1 Randm.*

14. Reihe: *die M. str., wie sie erscheinen, alle Umschl. links.*
15. Reihe: *1 Randm., 2 M. re. zus.str., 1 Umschl., 7 M. re., 1 Umschl., * 1 M. abheben, 2 M. re. zus.str. und die abgeh. M. darüberziehen, 1 Umschl., 7 M. re., 1 Umschl., ab * fortlfd. wiederholen. Die Reihe endet mit 1 M. abheben, die Randm. str. und die abgeh. M. darüberziehen.*
16. Reihe: *die M. str., wie sie erscheinen, alle Umschl. links.*
Die 1.–16. Reihe fortlaufend wiederholen.

Norwegermuster

Viele kleine grafische Muster wurden hier aus bunten Farben zusammengestellt. Sie können über einen Pullover verteilt oder nur als Rundpasse gearbeitet werden. Norwegermuster werden glatt rechts gestrickt. Es gehören mindestens zwei Farben dazu: die Grund- und die Musterfarbe. Während man den einen Faden strickt, wird der jeweils andere mitgeführt.

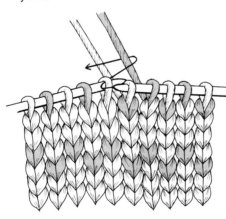

Der mitgeführte Faden läuft immer auf der linken Seite der Arbeit. Er darf nicht zu stramm angezogen werden, damit sich das Strickstück nicht zusammenzieht. Man sollte beim Entwurf eines Musters darauf achten, daß nicht mehr als 6–8 Maschen übersprungen werden, da sonst die Spannfäden auf der linken Seite zu lang werden. Das abgebildete Muster wird glatt rechts nach dem Schema gearbeitet. Es zeigt einen Rapport in der Breite und in der Höhe.

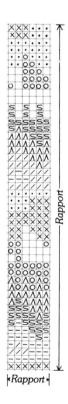

✕ Grün • Flieder
− Natur ╱ Zyklam
∧ Lindgrün S Dunkelblau
☐ Lachs ○ Weinrot

Stricktechniken
und
technische
Details

Flächenaufteilung

Neben vielen kleinen plastischen Mustern sind bunte Flächenaufteilungen in Pullovern oder Jacken am beliebtesten. Man kann diese Strickart nur in Hin- und Rückreihen arbeiten, nicht in Runden. Bei verschiedenen Materialien muß die Fadenstärke immer gleich sein. Man strickt eine Hinreihe in einer Farbe bis zum Farbwechsel, dann mit einer anderen Farbe weiter. Dabei müssen die Fäden auf der Rückseite der Arbeit umeinandergeschlungen, also verkreuzt werden, um eine feste Verbindung zu erhalten. In den Rückreihen

liegen die Fäden immer vor der Arbeit und werden auch hier verkreuzt. Man verwendet für jede Fläche ein eigenes Knäuel, daher muß stets mit mehreren Knäulen gleichzeitig gestrickt werden, manchmal auch mit mehreren Knäulen derselben Farbe. Bei einer senkrechten Linie wird der Farbwechsel in jeder Hin- und Rückreihe immer an der gleichen Stelle vorgenommen. Will man Rundungen oder Linien arbeiten, so verschiebt man den Farbwechsel in jeder Reihe um eine oder mehrere Maschen. Soll nach diesem System ein

(weiter Seite 54)

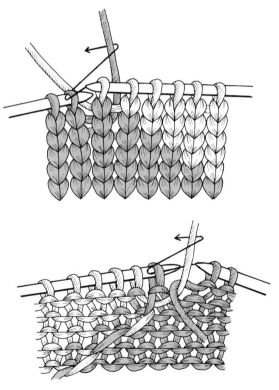

Pullover gestrickt werden, so muß man ein paar Punkte beachten. Nach einem Schnittschema oder nach den Maßen eines vorhandenen Pullovers fertigt man einen Papierschnitt in Originalgröße an. Dann zeichnet man die Motive auf den Schnitt. Vor Beginn des Strickens muß unbedingt eine Maschenprobe (s. Seite 74) angefertigt werden. Entspricht die Maschenprobe den Vorstellungen, schreibt man die Maschen- und Reihenanzahl sowie die benutzte Nadelstärke genau auf. Nun kann man den Pullover in Breite und Länge mit allen Zu- und Abnahmen errechnen. Dann werden auf Karopapier die Umrisse des Mo-

delles aufgezeichnet. Ein Karo entspricht einer Masche. Mit einem Zentimetermaß wird nun die Motivzeichnung vom Papierschnitt abgemessen, in Maschen und Reihen umgerechnet und auf das Karopapier übertragen. Das Motiv wird auf dem Papier etwas langgezogen erscheinen, da die Maschenanzahl in der Breite meistens nicht der Reihenanzahl in der Höhe entspricht. Das abgebildete Motiv wird glatt rechts nach dem Schema gearbeitet. Mit Nadel Nr. 3,5 gestrickt, ergeben 24 Maschen in der Breite und 30 Reihen in der Höhe 10 cm im Quadrat. Das fertige Motiv ist dann 20 cm x 25 cm groß.

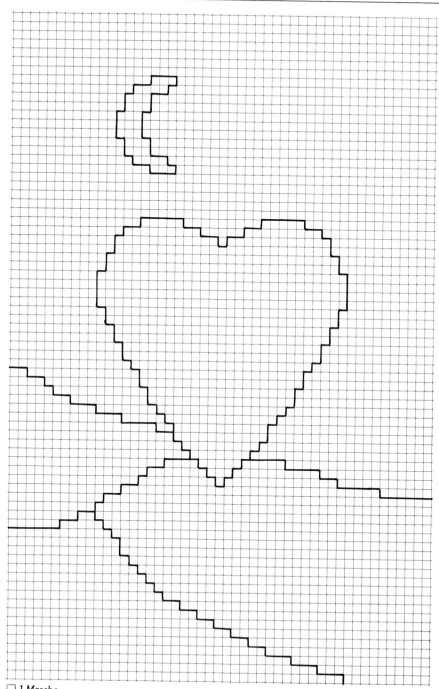

☐ *1 Masche*

Doublefacemuster

Für Westen, Jacken, aber auch für kleine Plaids mit Norwegermustern kann man die Doubleface-Strickart verwenden und das gestrickte Modell dann beidseitig tragen. Wie beim Norwegermuster muß mindestens mit 2 Farben gestrickt werden. Das Strickbild erscheint auf der Vorder- und Rückseite als rechte Maschen. Es kann nur in Hin- und Rückreihen gearbeitet werden. Man nimmt einen hellen und einen dunkleren Faden. Ein eingestricktes dunkles Motiv auf der Vorderseite ist auf der Rückseite in Hell zu sehen. Mit beiden Fäden zusammen schlägt man die gewünschte Maschenzahl an und strickt die 1. Masche immer mit beiden Fäden zusammen als Randmasche ab. Dann strickt man für die 1. Hinreihe abwechselnd 1 helle Masche rechts, hält den hellen Faden danach mit dem linken Daumen vor der Arbeit fest (da sich sonst auf der jeweiligen Rückseite Spannfäden bilden) und 1 dunkle Masche links ab. Dabei hilft ein Fadenführer (Fachhandel), den man auf den linken Zeigefinger setzt. Die letzte Masche der Reihe (Randmasche) wird wieder mit bei-

den Fäden zusammen rechts gestrickt. Nach der 1. Reihe liegen also abwechselnd 1 helle rechte und 1 dunkle linke Masche auf der Nadel. Die Maschenanzahl der hellen und dunklen Maschen muß immer gleich sein. Die Rückreihe arbeitet man im Prinzip genauso, strickt jedoch nun die dunklen Maschen rechts und die hellen Maschen links. Die Hin- und Rückreihe wird fortlfd. wiederholt. Zum Schluß kettet man zusammen 1 helle und 1 dunkle Masche ab. Soll ein dunkles Motiv, z. B. ein Herz, auf hellem Grund erscheinen, so strickt man an der gewünschten Stelle die hellen Maschen in Dunkel und die dunklen Maschen in Hell: Die helle und dunkle Maschenanzahl muß immer übereinstimmen, z. B. abwechselnd 3 helle und 3 dunkle Maschen, dann 7 dunkle und 7 helle Maschen und wieder 3 helle und 3 dunkle Maschen. Der Rapport des abgebildeten Schemas kann in der Breite und in der Höhe beliebig wiederholt werden. Er zeigt nur die Maschenanzahl der einen Seite. Wird eine gezeichnete Masche hell gestrickt, muß danach sofort eine dunkle (im Schema nicht gezeichnete) Masche gearbeitet werden und umgekehrt. Ein Kästchen entspricht einer Masche. Die Randmaschen sind nicht gezeichnet und müssen zu der gewünschten Maschenanzahl dazu angeschlagen werden.

←——— Rapport ———→

Saum mit Mäusezähnchen

Saum mit Rippenabschluß

Saumblende mit Ecke (rechte Seite)   Saumblende mit Ecke (linke Seite)

Angestrickte Säume

Einen schönen Abschluß an einem Strickstück ohne Bündchen oder Blende bildet der angestrickte Saum. Man arbeitet von unten nach oben und strickt für die Saumbreite einige Reihen oder Runden glatt rechts. **Für einen Saum mit Mäusezähnchen** in der nächsten Hinreihe 1 Umschlag aufnehmen und 2 M. re. zusammengestrickt im Wechsel arbeiten. Die Rückreihe wird links (in Runden rechts) gestrickt, auch die Umschläge. Die Lochreihe bildet die Bruchlinie (Zeichnung 1). Danach bis zur gewünschten Saumbreite glatt rechts weiterarbeiten und den Saumbeleg in einer Hinreihe feststricken. Dafür nimmt man die Anschlagmaschen auf einer Hilfsnadel auf, legt die beiden Stricknadeln zusammen und strickt jeweils 1 Masche der Nadel mit 1 Anschlagmasche der Hilfsnadel rechts zusammen ab (Zeichnung 2). Die Maschenanzahl beider Nadeln muß übereinstimmen, da der Saum sich sonst verzieht!
Einen **Saum mit Rippenabschluß** als Bruchlinie arbeitet man im Prinzip

genauso. Es wird jedoch anstelle der Lochreihe eine Hinreihe links gestrickt. Wird ein Strickstück von einer **Saumblende mit Ecke** eingefaßt, so kann der Saumbeleg nicht festgestrickt, sondern muß angenäht werden. Man strickt die gewünschte Maschenanzahl aus der Kante des Teiles heraus; dabei muß für die Ecke genau an der Spitze eine Masche aufgenommen werden. Die Maschen glatt rechts stricken, dabei in jeder Hinreihe oder 2. Runde vor und nach der Eckmasche aus dem Querfaden der Vorreihe oder Rd. 1 Masche rechts verschränkt herausstricken, bis die gewünschte Saumbreite erreicht ist. Dann die Bruchlinie als Zackenkante oder Linksreihe arbeiten und für die Abnahmen an der Ecke in jeder Hinreihe oder 2. Runde die Eckmasche auf einer Hilfsnadel vor die Arbeit legen, die Masche vor und nach der Eckmasche rechts zusammenstricken und die Eckmasche darüberziehen. Die Abnahmen wiederholen, bis die Saumbreite erreicht ist. Die Maschen abketten und den Saum annähen.

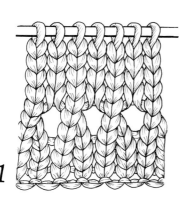

1

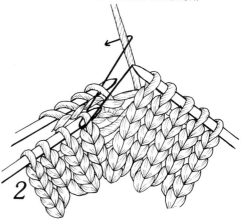

2

Aus der Mitte gestricktes Quadrat

Bei einem flachen, aus der Mitte gearbeiteten Strickstück beginnt man mit wenigen Maschen, mit mindestens 3 Nadeln und einer Arbeitsnadel oder einem Nadelspiel (5 Nadeln) und strickt in Runden.
Nimmt man gleichmäßig an 4 oder 6 Stellen übereinander Umschläge auf, so ergibt sich ein Quadrat oder Sechseck. Werden die Zunahmen versetzt angeordnet, wird das Strickstück rund. Die Anzahl der Zunahmen muß man nach einer Maschenprobe errechnen, damit das Teil sich nicht wellt oder zusammenzieht. In dieser Strickart können auch Mützen gearbeitet werden: Man nimmt so lange Umschläge auf, bis der gewünschte Kopfumfang erreicht ist, und strickt dann ohne Zunahmen weiter. Damit bei den Zunahmen keine Löcher entstehen, werden alle Umschläge verschränkt abgestrickt.

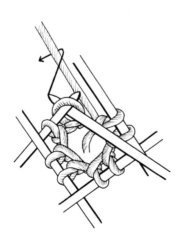

Aus dem abgebildeten Quadrat können Decken und Tücher zusammengesetzt werden: 8 M. verteilt auf 4 Nadeln anschlagen, zur Runde schließen (wie die Zeichnung zeigt) und eine Runde rechts str., d. h. 2 M. str. und mit der freigewordenen Nadel die nächsten 2 M., bis alle Maschen gestrickt sind. Danach so weiterarbeiten:
1. Runde: * 1 M. re. verschränkt, 2 Umschl., 1 M. re. verschränkt, ab * 3mal wiederholen.
2. Runde: rechts, aus den 2 nebeneinanderliegenden Umschl. 1 M. re. und 1 M. li. herausstr.
3. Runde: * 2 M. re. verschränkt, 2 Umschl., 2 M. re. verschränkt, ab * 3mal wiederholen.
4. Runde: rechts, aus den 2 nebeneinanderliegenden Umschl. 1 M. re. und 1 M. li. herausstr.
5. Runde: * 2 M. re. verschränkt, 1 Umschl., 2 M. re., 1 Umschl., 2 M. re. verschränkt, ab * 3mal wiederholen.
6. Runde: rechts, auch die Umschl.
7. Runde: * 2 M. re. verschränkt, 1 Umschl., 4 M. re., 1 Umschl., 2 M. re. verschränkt, ab * 3mal wiederholen.
8. Runde: rechts, auch die Umschl.
9. Runde: * 2 M. re. verschränkt, 1 Umschl., 1 M. re., 2 M. re. zus.str., 2 Umschl., 1 M. abheben, 1 M. re. und die abgeh. M. darüberziehen, 1 M. re., 1 Umschl., 2 M. re. verschränkt, 1 Umschl., ab * 3mal wiederholen.
10. Runde: rechts, auch die Umschl. Aus den 2 nebeneinanderliegenden Umschl. 1 M. re. und 1 M. li. herausstricken.
11. Runde: * 2 M. re. verschränkt, 1 Umschl., 2 M. re. zus.str., 2 Umschl.,

1 M. abheben, 1 M. re. und die abgeh. M. darüberziehen, 2 M. re.
zus.str., 2 Umschl., 1 M. abheben, 1
M. re. und die abgeh. M. darüberziehen, 1 Umschl., 2 M. re. verschränkt,
1 Umschl., 1 M. re. verschränkt, 1
Umschl., ab * 3mal wiederholen.

12. Runde: rechts, auch die Umschl.
Aus den 2 nebeneinanderliegenden
Umschl. 1 M. re. und 1 M. li. heraus-
stricken.
13. Runde: * 3 M. re., 1 Umschl., 1
M. abheben, 1 M. re. und die abgeh.
M. darüberziehen, 2 M. re. zus.str., 2
Umschl., 1 M. abheben, 1 M. re. und
die abgeh. M. darüberziehen, 2 M. re.

(weiter Seite 62)

zus.str., 1 Umschl., 3 M. re., 1 Umschl., 1 M. re., 1 Umschl., 1 M. re. verschränkt, 1 Umschl., 1 M. re., 1 Umschl., ab * 3mal wiederholen.

14. Runde: rechts, auch die Umschl. Aus den 2 nebeneinanderliegenden Umschl. 1 M. re. und 1 M. li. herausstricken.

15. Runde: * 1 M. abheben, 1 M. re. und die abgeh. M. darüberziehen, 2 M. re., 1 Umschl., 1 M. abheben, 2 M. re. zus.str. und die abgeh. M. darüberziehen, 1 M. abheben, 2 M. re. zus.str. und die abgeh. M. darüberziehen, 1 Umschl., 2 M. re., 2 M. re. zus.str., 1 Umschl., 3 M. re., 1 Umschl., 1 M. re. verschränkt, 1 Umschl., 3 M. re., 1 Umschl., ab * 3mal wiederholen.

16. Runde: rechts, auch die Umschl.

17. Runde: * 1 M. abheben, 1 M. re. und die abgeh. M. darüberziehen, 2 M. re., 2 M. re. zus.str., 2 M. re., 2 M. re. zus.str., 1 Umschl., 5 M. re., 1 Umschl., 1 M. re. verschränkt, 1 Umschl., 5 M. re., 1 Umschl., ab * 3mal wiederholen.

18. Runde: rechts, auch die Umschl.

19. Runde: * 1 M. abheben, 1 M. re. und die abgeh. M. darüberziehen, 3 M. re., 2 M. re. zus.str., 1 Umschl., 1 M. re., 1 Umschl., 1 M. abheben, 1 M. re. und die abgeh. M. darüberziehen, 1 M. re., 2 M. re. zus.str., 1 Umschl., 1 M. re., 1 Umschl., 1 M. re. verschränkt, 1 Umschl., 1 M. re., 1 Umschl., 1 M. abheben, 1 M. re. und die abgeh. M. darüberziehen, 1 M. re., 2 M. re. zus.str., 1 Umschl., 1 M. re., 1 Umschl., ab * 3mal wiederholen.

20. Runde: rechts, auch die Umschl.

21. Runde: * 1 M. abheben, 1 M. re. und die abgeh. M. darüberziehen, 1 M. re., 2 M. re. zus.str., 1 Umschl., 3 M. re., 1 Umschl., 1 M. abheben, 2 M. re. zus.str. und die abgeh. M. darüberziehen, 1 Umschl., 3 M. re., 1 Umschl., 1 M. re. verschränkt, 1 Umschl., 3 M. re., 1 Umschl., 1 M. abheben, 2 M. re. zus.str. und die abgeh. M. darüberziehen, 1 Umschl., 3 M. re., 1 Umschl., ab * 3mal wiederholen.

22. Runde: rechts, auch die Umschl.

23. Runde: * 1 Umschl., 1 M. abheben, 2 M. re. zus.str. und die abgeh. M. darüberziehen, 1 Umschl., 5 M. re., 1 Umschl., 1 M. re. verschränkt, 1 Umschl., 5 M. re., 1 Umschl., 1 M. re. verschränkt, 1 Umschl., 5 M. re., 1 Umschl., 1 M. re. verschränkt, 1 Umschl., 5 M. re., ab * 3mal wiederholen.

24. Runde: rechts, auch die Umschl. Nun 17 M. re. str., es ist eine Eckmasche erreicht. Jetzt von hier auf jede Nadel 32 M. heben.

25. Runde: * 1 M. re. verschränkt, 1 Umschl., 31 M. re., 1 Umschl., ab * 3mal wiederholen.

26. Runde: links, auch die Umschl.

27. Runde: * 1 M. re. verschränkt, 1 Umschl., 33 M. re., 1 Umschl., ab * 3mal wiederholen.

28. Runde: links, auch die Umschl.

29. Runde: * 1 M. re. verschränkt, 1 Umschl., 35 M. re., 1 Umschl., ab * 3mal wiederholen.

30. Runde: links, auch die Umschl.

31. Runde: alle M. re. abketten.

Eingestrickte Taschen

Bei vielen Jacken und Pullovern sind eingestrickte Taschen praktisch. Die Taschen können waagerecht, senkrecht oder schräg eingearbeitet werden. Wichtig ist, daß der Tascheneingriff und die Größe des Taschenbeutels genau auf dem Schnitt eingezeichnet werden, damit man nach der Maschenprobe die nötige Maschen- und Reihenanzahl errechnen kann.

1. Waagerechte Tasche

Die waagerechte Taschenform wird am meisten verwendet. Man errechnet, wie viele Maschen in der Breite für den Tascheneingriff benötigt werden und strickt im Grundmuster bis zur gewünschten Höhe. Dann die errechneten Blendenmaschen 2 M. li., 2 M. re. im Wechsel arbeiten und die anderen Maschen weiter im Grundmuster stricken. (Taschenblenden können auch kraus rechts oder in einem anderen Muster eingearbeitet werden.) Ist die gewünschte Blendenbreite erreicht, nur die Blendenmaschen locker abketten, dabei re. M. re. und li. M. li. stricken. Dann mit Hilfsnadeln und einem neuen Faden die gleiche Anzahl Maschen neu anschlagen und im Grundmuster den Taschenbeutel stricken. Danach die Taschenbeutelmaschen anstelle der abgeketteten Maschen mit auf die Nadel nehmen und im Grundmuster weiterarbeiten. Bei der

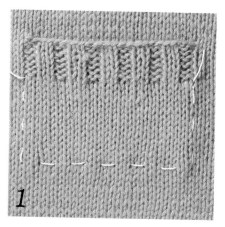

Ausarbeitung den Taschenbeutel an der Innenseite unsichtbar festnähen. Sollen die Taschenblenden in einer anderen Farbe gearbeitet werden, so legt man die Maschen des Tascheneingriffes auf einem Maschenraffer still. Dann arbeitet man den Taschenbeutel und das Modell wie beschrieben zu Ende. Erst dann werden die stillgelegten Maschen für die Taschenblende wieder auf die Nadel genommen und in der gewünschten Farbe als Blende gestrickt. Die Blendenkanten seitlich festnähen.

2. Senkrechte Tasche

Für die senkrechte Taschenform errechnet man, wie viele Reihen für den Tascheneingriff benötigt werden und strickt im Grundmuster bis zur gewünschten Taschenhöhe. Dann wird das Strickstück am Tascheneingriff in 2 Teile geteilt und getrennt weitergearbeitet. Die Maschen von der vorderen Mitte bis zum Tascheneingriff in der gewünschten Reihenanzahl hochstricken und stillegen. Dann mit

(weiter Seite 64)

3. *Schräge Tasche*

Die schräg eingestrickte Tasche ähnelt in der Arbeitsweise der senkrechten. Man errechnet nach der Maschenprobe die gewünschte Schrägung und die Höhe des Tascheneingriffes und strickt im Grundmuster bis zur Taschenhöhe. Dann das Strickstück am Tascheneingriff in zwei Teile teilen und getrennt weiterarbeiten. Die Maschen von der vorderen Mitte bis zum Tascheneingriff in der errechneten Reihenanzahl hochstricken, dabei je nach Schrägung des Tascheneingriffes in jeder 2., 4. oder 6. Reihe eine oder mehrere Maschen abketten. Die restlichen Maschen stillegen. Mit Hilfsnadeln und einem neuen Faden für den Taschenbeutel die gewünschte Maschenanzahl anschlagen und im Grundmuster bis zur aufgezeichneten Taschentiefe arbeiten. Die Maschen des Taschenbeutels mit auf die Nadel des Seitenteiles nehmen und genauso viele Reihen wie beim vorderen Teil gerade hochstricken. Danach nur so viele Maschen des Taschenbeutels abketten, bis wieder die gleiche Maschenanzahl erreicht ist wie vor Beginn der Tasche. Über alle Maschen im Grundmuster weiterarbeiten. Später für die Taschenblende aus der Kante des vorderen Tascheneingriffes Maschen herausstricken und die Blende im gewünschten Muster (2. M. re., 2 M. li. im Wechsel, kraus rechts oder in einem anderen Muster) arbeiten. Bei der Ausarbeitung den Taschenbeutel an der Innenseite unsichtbar annähen und die seitlichen Blendenkanten befestigen.

Hilsnadeln und einem neuen Faden für den Taschenbeutel die errechnete Maschenanzahl anschlagen und im Grundmuster bis zur aufgezeichneten Taschentiefe arbeiten. Nun die Maschen des Taschenbeutels mit auf die Nadel des Seitenteiles nehmen und genauso viele Reihe wie bei dem vord. Teil stricken. Dann die Maschen des Taschenbeutels abketten, die Maschen des vord. Teiles dazunehmen und über die ganze Breite des Strickstückes weiterarbeiten. Später für die Taschenblende aus der Kante des vorderen Tascheneingriffes Maschen herausstricken und die Blende im gewünschten Muster (2 M. re., 2 M. li. im Wechsel, kraus rechts oder in einem anderen Muster) arbeiten. Bei der Ausarbeitung den Taschenbeutel an der Innenseite unsichtbar festnähen und die seitlichen Blendenkanten annähen. Die senkrechte Tasche kann man auch in die Seitennaht einarbeiten. Dann wird der Taschenbeutel an die Seiten des Rückenteiles angestrickt.

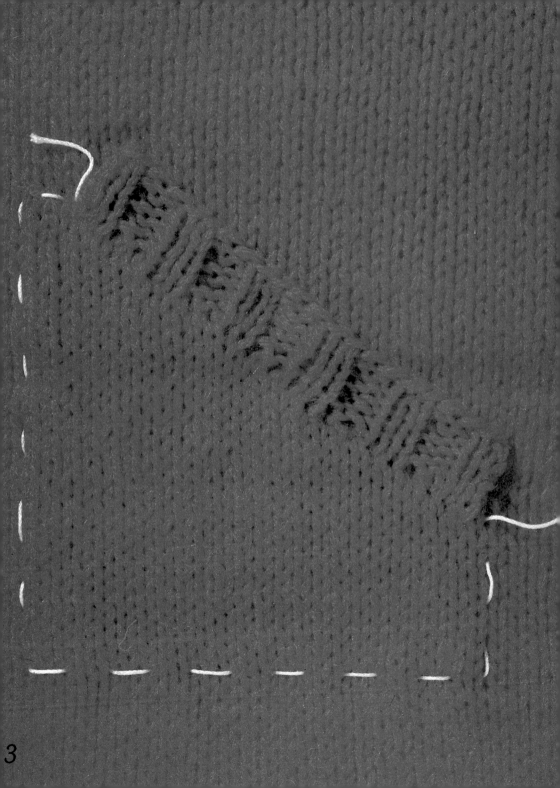

3

V-Ausschnitt mit hochlaufender Masche

Die Blende für einen V-Ausschnitt sieht am schönsten im Rippenmuster (2 M. re., 2 M. li. im Wechsel) aus. Bevor man die Maschen aus dem Halsausschnitt eines Pullovers herausstrickt, errechnet man nach der Maschenprobe die Maschenanzahl. Im allgemeinen werden die Ausschnittblenden mit einer halben Nadelstärke kleiner als das übrige Strickstück gestrickt. Es wird in Runden gearbei-

tet. Mit dem Aufnehmen der Maschen beginnt man in der rückwärtigen Mitte und strickt auf einer Seite bis zur vorderen Mitte. Genau hier muß eine Masche aufgenommen werden. Nun strickt man auf der anderen Seite zum Ausgangspunkt zurück. Die Maschenanzahl der beiden Ausschnittseiten muß gleich sein, dazu kommt die vord. Mittelmasche. Jetzt strickt man 1 M. re. und weiter 2 M. li., 2 M. re. im Wechsel bis zu den 3 in der vord. Mitte liegenden Maschen. Nun die Mittelmasche auf einer Hilfsnadel vor die Arbeit legen. Die Masche vor und nach der Mittelmasche je nach Muster rechts oder links zusammenstricken (s. Zeichnung) und die Mittelmasche darüberziehen. Die andere Seite gegengleich stricken. Die Reihe endet mit 1 M. re. Die Abnahmen in jeder Runde wiederholen, bis die gewünschte Blendenbreite erreicht ist. Dann die Maschen locker abketten, dabei werden re. M. re. und li. M. li. gestrickt.

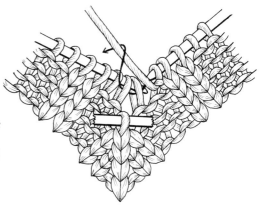

Waagerechtes Knopfloch

Für ein waagerecht eingestricktes Knopfloch kettet man in einer Hinreihe die gewünschte Anzahl an Maschen ab und schlägt sie in der Rückreihe über den abgeketteten Maschen wieder an. Die Maschenanzahl richtet sich nach der Größe des Knopfes.

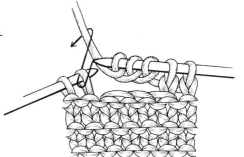

Senkrechtes Knopfloch

Für ein senkrecht eingestricktes Knopfloch teilt man das Strickstück an der gewünschten Stelle und arbeitet getrennt weiter. Die Reihenanzahl richtet sich nach der Größe des Knopfes. Man strickt eine Seite bis zur gewünschten Knopflochhöhe und arbeitet mit einem neuen Faden an der zweiten Seite genauso viele Reihen, bis wieder über die ganze Arbeit gestrickt werden kann.

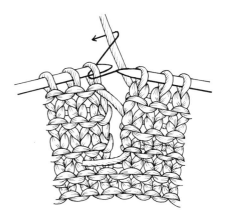

Socken – die Ferse wie die Spitze

Ganz einfach zu stricken sind diese Socken. Erst werden zwei Schläuche mit Spitzen und je einem extra Faden, an Stelle der Fersen, gearbeitet. Später werden diese Fäden herausgezogen, die freiliegenden Maschen auf Nadeln genommen und die Fersen nach dem System der Spitzen gestrickt. Auf diese Art kann man mit entsprechend weniger oder mehr Maschen als in der Anleitung angegeben die ganze Familie mit Socken versorgen. (Anleitung für Schuhgröße 38)

Material: Je 50 g graue und rote Wolle (Lauflänge 150 m/50 g) sowie 1 Nadelspiel Nr. 3,5.
Grundmuster: glatt rechts (in Runden nur re.).
Farbfolge: 4 Rd. in Grau und 2 Rd. in Rot im Wechsel.

Maschenprobe: 24 M. in der Breite und 33 R. in der Höhe ergeben 10 cm im Quadrat.
Anleitung: 48 M. verteilt auf 4 Nadeln (je 12 M.) in Grau anschlagen, zur Rd. schließen und für das Bündchen 3 cm (2 M. re., 2 M. li. im Wechsel) stricken. Danach im Grundmuster und in der angegebenen Farbfolge bis zu einer Gesamtlänge von 16 cm gerade hochstricken und jetzt für die später einzustrickende Ferse über die Hälfte der Maschen (1. und 2. Nadel = 24 M.) einen andersfarbigen Faden statt des laufenden Fadens einstricken, der später wieder herausgezogen wird (Enden nicht vernähen!). Den laufenden Faden nicht abschneiden und mit ihm über die andersfarbenen Maschen in der angegebenen Farbfolge weitere 15 cm (auch mehr oder weniger je nach Fußlänge) im Grundmuster stricken. Dann mit der Spitze in Rot beginnen. Dafür in jeder 2. Rd. am Anfang der 1. und 3. Nadel die 2. M. abh., die 3. M. str. und die abgeh. M. darüberziehen. Am Ende der 2. und 4. Nadel die 2.- und 3.letzte M. zus.str., bis auf jeder Nadel nur noch 4 M. sind. Diese restl. 8 M. der Sohle mit den 8 M. des Fußblattes im Maschenstich (s. Seite 70) zusammennähen. Für die Ferse den andersfarbenen Faden Masche für Masche herausziehen und die Maschen auf beiden Seiten auf je 2 Nadeln verteilen (wieder 12 M. je Nadel) aufnehmen. Jetzt die Ferse in Rot über diese 4 Nadeln genau wie die Spitze abnehmen. Den 2. Socken genauso stricken.

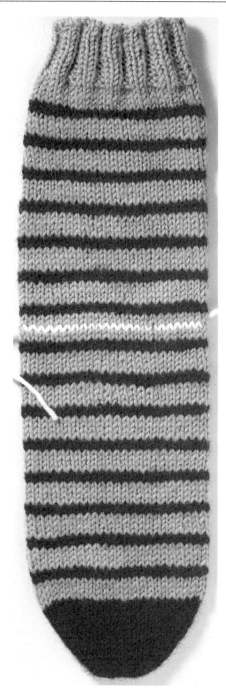
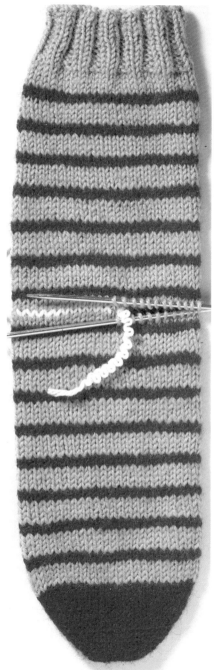

Rechts und links verschränkte Maschen

*Rechte und linke Maschen, die ver-
dreht abgestrickt werden, bezeichnet
man als verschränkte Maschen. Die
rechts verschränkt abgestrickten Maschen sind besonders für Bündchen
geeignet, die aus rechten und linken
Maschen bestehen, weil dadurch das
Strickteil besonders elastisch bleibt.*

*Sie werden aber auch bei verschiede-
nen Mustern verwendet.
Von hinten in eine rechte (Zeichnung
1) oder linke (Zeichnung 2) Masche
einstechen und den Faden durchzie-
hen, wie es die Pfeilrichtung zeigt.
Die Masche von der linken Nadel
gleiten lassen.*

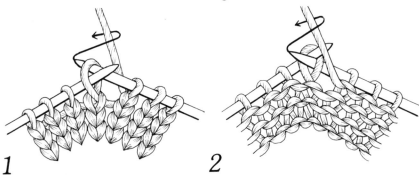

1   2

Zusammennähen von zwei Teilen im Maschenstich

*Der Maschenstich verbindet zwei
Strickstücke unsichtbar miteinander.
In die freiliegenden Maschen beider
Teile wird mit einer Sticknadel ohne
Spitze ein Faden so eingezogen, daß
eine neue Maschenreihe entsteht.
Man kann auf diese Weise auch
Strickstücke ausbessern, wenn ein
Faden gerissen und heraus-
gezogen ist.
Bei einem glatt rechts gestrickten Mu-
ster wird zunächst 1 Masche aufge-
faßt, danach 2 Maschen des zweiten
Teiles, dann sticht man zurück in die*

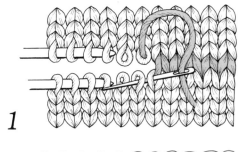

1

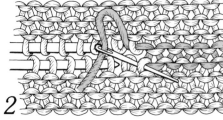

2

1. und folgende Masche des ersten Teiles und wieder in die letzte und nächstfolgende Masche des zweiten Teiles (wie Zeichnung 1 zeigt), bis die Naht geschlossen ist.
In einem links gestrickten Muster wird in die Maschen zuerst von unten nach oben und dann von oben nach unten mit einer Sticknadel eingestochen und ein Faden durchgezogen (wie aus Zeichnung 2 ersichtlich). Bei Mustern aus rechten und linken Maschen werden die rechten Maschen nach Zeichnung 1 und die linken Maschen nach Zeichnung 2 aufgefaßt.

Stopfen

Dünne Stellen oder ein Loch in einem Strickstück kann man mit einer Sticknadel ohne Spitze und einem passenden Faden geschickt ausbessern. Ist eine Stelle nur dünn und noch kein Faden gerissen, stickt man die Maschen im Maschenstich nach. Bei einem Loch müssen die Maschen am oberen und unteren Ende freigelegt werden. Zunächst benutzt man einen etwas dünneren Faden als Spannfaden und nimmt mit ihm die Maschen auf, wie in Zeichnung 1 dargestellt. (Das Spannen der Fäden entspricht dem Prinzip des Maschenstiches von Seite 70.) Man muß darauf achten, daß die gespannten Fäden an beiden Seiten über das Strickstück hinauslaufen, damit beim Nachstikken eine feste Verbindung zwischen Stopfstelle und Strickstück entsteht. Es ist ratsam, über einem Stopfei zu arbeiten, damit sich die Spannfäden nicht zusammenziehen. Dann mit einem Faden in der richtigen Stärke die Maschen nacharbeiten. Man sticht von hinten nach vorne durch eine Masche, umfaßt zwei Spannfäden, führt sie in die Masche zurück und nimmt die nächste Masche auf (Zeichnung 2). So Reihe für Reihe arbeiten, bis der Schaden behoben ist.

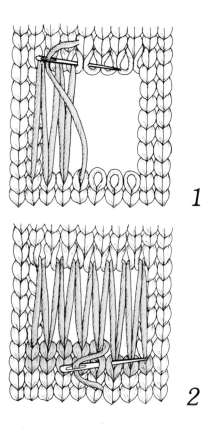

1

2

Zunahmen in einem Strickstück

Sollen in einer Reihe Maschen unsichtbar zugenommen werden, so bildet man aus dem zwischen zwei Maschen liegenden Querfaden eine neue Masche. Der Querfaden wird auf die linke Nadel gehoben und, damit kein Loch entsteht, rechts oder links verschränkt abgestrickt. Nimmt man diese Zunahmen regelmäßig verteilt z. B. in jeder 2., 4. oder 6. Reihe immer hinter der gleichen nach oben laufenden Masche vor, so entsteht ein spiralenförmiges Muster. Das Muster läuft gerade, wenn man jeweils 1 Masche markiert und die Zunahmen abwechselnd z. B. in jeder 2., 4. oder 6. Reihe vor und nach der markierten Masche vornimmt.

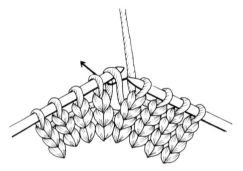

Der hochgenommene Querfaden bei rechten Maschen.

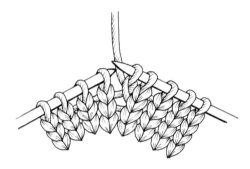

Der Querfaden ist rechts verschränkt abgestrickt.

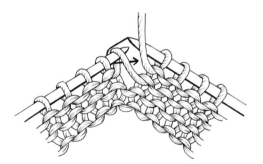

Der hochgenommene Querfaden bei linken Maschen.

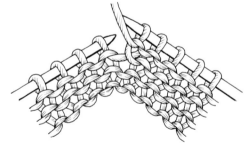

Der Querfaden ist links verschränkt abgestrickt.

Abnahmen in einem Strickstück

Müssen in einer Reihe Maschen abgenommen werden, so strickt man jeweils 2 Maschen rechts oder links zusammen. Diese Abnahmen bilden ein spiralförmiges Muster, wenn sie gleichmäßig verteilt in Runden, wie bei einer Mütze, vorgenommen werden. Das heißt, es werden z. B. jede 9. und 10. Masche, in der nächsten Abnahmerunde jede 8. und 9. Masche, dann jede 7. und 8. Masche zusammengestrickt und so weiter. Das Muster läuft gerade, wenn man jeweils 1 Masche markiert und die Abnahmen abwechselnd vor und nach dieser Masche vornimmt. Bei der 1. Abnahme die Masche vor der markierten Masche mit der markierten zusammenstricken. Bei der 2. Abnahme die markierte Masche abheben, die nächste Masche stricken und die abgehobene Masche darüberziehen. Die 1. und 2. Abnahme z. B. in jeder 2., 4. oder 6. Reihe wiederholen.

Verkürzte Reihen

Verkürzte Reihen strickt man z. B. bei der Rundpasse eines Pullovers, der in Runden gearbeitet wird. Man erreicht damit vor Beginn der Passe ein höheres Rückenteil, weil der rückwärtige Halsausschnitt höher als der vordere ist. Die Passe kann dann rundherum gleich hochgestrickt werden, und das Passenmuster wird nicht zerstört. Man legt ein paar Maschen in der vorderen Mitte des Pullovers still und arbeitet mit den übrigen Maschen in Hin- und Rückreihen weiter, wobei jeweils am Ende der Reihe Maschen ungestrickt bleiben. Damit an den Wendestellen keine Löcher entstehen, wird nach jedem Wenden, vor dem Zurückstricken, 1 Umschlag aufgenommen (Zeichnung 1). Diese Umschläge werden später, wenn wieder über diese Stelle gearbeitet wird, mit der darauffolgenden Masche zusammengestrickt (Zeichnung 2 und 3).

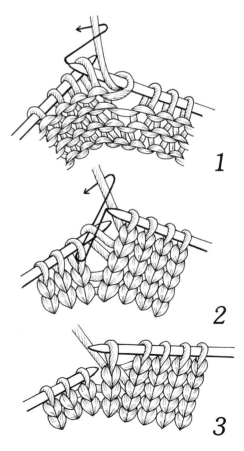

1

2

3

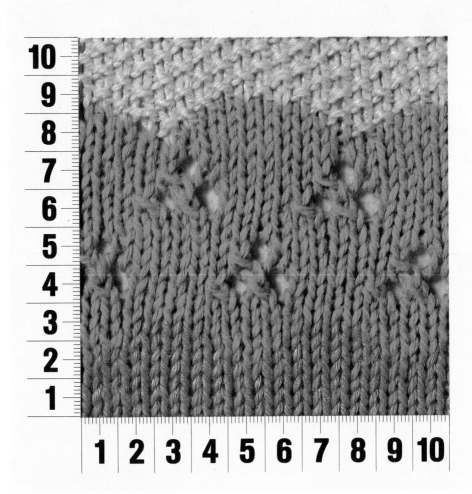

Maschenprobe

Vor dem Beginn des eigentlichen Strickens muß man unbedingt eine Maschenprobe von mindestens 10 cm im Quadrat anfertigen, um sie mit der angegebenen Probe in der Anleitung zu vergleichen. Nach den Anleitungen können Sie sich nur richten, wenn Sie das angegebene Material oder eine ebenso starke oder feine Wolle verwenden. **Es ist wich-** **tig, die Maschenprobe im gleichen Muster wie das zu strickende Modell anzufertigen!**
Die Wollstärken werden anhand der **Lauflänge** (zum Beispiel 150 m/50 g) verglichen, die auf jeder Banderole eines Knäuels ausgedruckt ist.
In den meisten Strickanleitungen (z. B. auch in diesem Buch) werden die Wollstärken so angegeben. Stimmen

Folklore vol kleuren

Ouderwets gezellige kindertruien met prachtige ingebreide folklore motiefjes in warme winterkleuren. De poppetjes zijn opgemaasd.

Versierde folklore-trui

MAAT: 116/122, 128/134 EN 140/146 CM

Bovenwijdte: 62/64, 66/68 en 70/72 cm.
Leeftijd: 6/7, 8/9 en 10/11 jaar.
Truiwijdte: 74, 78 en 82 cm. Werkbeschrijving voor maat 116/122. De cijfers tussen de haakjes gelden achtereenvolgens voor de maten 128/134 en 140/146 cm.
Benodigdheden: 200 tot 300 gr. van de hoofdkleur geel nr. 5603, groen nr. 5624, rood nr. 5614, ca. 50 gr van ieder van de volgende bijkleuren, geel nr. 5603, groen nr. 5624, rood nr. 5614, paars nr. 5620, Universa van Nomotta. 2 breinldn. nr. 3 en 3½, 4 breinldn. nr. 3 zonder knop.
Stekenverhouding: 24 st. en 28 nldn. in tricotst. met jacquardmotieven met nldn. nr. 3½ op 10 cm.
Let op: Indien nodig dikkere of dunnere nldn. gebruiken.
Boordsteek: Afwisselend 1 r., 1 av.
Tricotsteek: Heen recht, teruggaand av.
Jacquardmotieven in tricotsteek: Zie telpatroon.
De 12 st. steeds herh.
Poppetjes: worden later opgemaasd.

RUGPAND

70 (74-78) st. opz. met nldn. nr. 3 en hoofdkleur en 5 cm. boordst. breien. In de laatste nld. verdeeld 20 st. meerderen tot 90 (94-98) st. Doorgaan met nldn. nr. 3½ en jacquardmotieven in tricotst. Beginnen bij a (b-c), het telpatroon van 12 st. steeds herh., eindigen bij a (b-c) tot de 67e nld. De 67e tm. 79e nld. steeds herh. tot een toatle hoogte van ca. 39 (42-45) cm., eindigen met 2 effen nldn. tricotst., doorgaan met de 80e nld. van het telpatroon. Bij een totale hoogte van 40 (43-46) cm. voor de hals de middelste 22 (24-26) st. afk. en beide delen afzonderlijk verder breien. Aan de halszijde nog 2 maal 3 st. afk. in elke 2e nld. Bij een totale hoogte van ca. 42 (45-48) cm., eindigen met de laatste nld. van het telpatroon, de resterende st. voor de schouder in 1 keer afk. Het 2e deel tegengesteld breien.

VOORPAND

Breien als rugpand. Bij een totale hoogte van 38 (41-44) cm. voor de hals de middelste 20 (22-24) st. afk. en beide delen afzonderlijk verder breien. Aan de halszijde nog 1 maal 3, 1 maal 2, en 2 maal 1 st. afk. in elke 2e nld. Bij een totale hoogte gelijk aan die van het rugpand, de resterende st. voor de schouder in 1 keer afk. Het 2e deel tegengesteld breien.

MOUWEN

42 (46-50) st. opz. met nldn. nr. 3 en de hoofdkleur en 5 cm. boordst. breien. In de laatste nld. verdeeld 16 st. meerderen tot 58 (62-66) st. Doorgaan met nldn. nr. 3½ en jacquardmotieven in tricotst. Tel vanuit het midden met welke st. u moet beginnen, de m. in het telpatroon is het midden. Achtereenvolgens de 1e tm. 10e nld., daarna de 67e tm. 79e nld. steeds herh. Tegelijkertijd

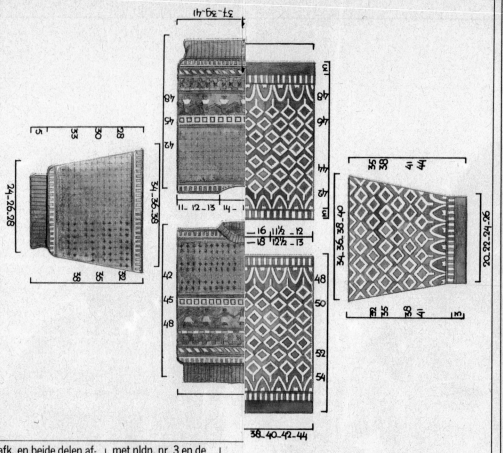

hoogte van 35 (38-41-44) cm. alle st. in 1 keer afk.

AFWERKING

De delen met een vochtige doek bedekken totdat doek en werk weer droog zijn. De belegdelen (effen randen) van panden en mouwen naar binnen slaan en soepel tegenzomen. Schoudernaden sluiten en 15 (16-17-18) cm. open laten voor de hals. Mouwen aannaaien. Tenslotte mouw- en zijnaden sluiten.

Voor informatie over de garens zie blz. 27

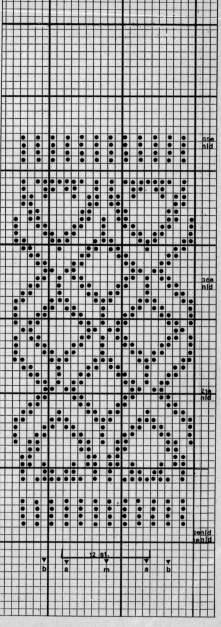

Tekens bij telpatroon:
□ = 1 st. hoofdkleur blauw of rood.
× = 1 st. ecru.

Speelse motiefjes~ trui

MAAT: 110/116, 122/128, 134/140 EN 146/152 CM

Bovenwijdte: 60/62, 64/66, 68/70 en 72/75 cm.
Leeftijd: 5/6, 7/8, 9/10 en 11/12 jaar.
Truiwijdte: 76, 80, 84 en 88 cm. Werkbeschrijving voor maat 110/116 cm. De cijfers tussen de haakjes gelden achtereenvolgens voor de maten 122/128, 134/140 en 146/152 cm.
Benodigdheden: 250 tot 350 gr. ecru kl.nr. 3401. 250 tot 350 gr. blauw kl. nr. 3421 of rood kl. nr. 3443 Samba van Jamka Stahl, 2 breinld.nr. 3 en 3½.
Stekenverhouding: 28 st. en ca. 28 nldn. gebreid in jacquard-motief in tricotst. met nld. nr. 3½ op 10 cm.
Let op: Indien nodig dikkere of dunnere nldn. gebruiken.
Boordsteek: Afwisselend 1 av. 3 r.
Tricotsteek: Heen recht, teruggaand av.

Jacquardmotief in tricotsteek: Over 12 st., zie telpatroon.

RUGPAND

108 (114-120-126) st. opz. met nldn. nr. 3 en hoofdkleur blauw of rood en 3 cm. boordst. breien. Aan de goede kant van het werk 1 nld. av. breien en doorgaan met nldn. nr. 3½ en jac-quardmotief in tri-cotst. Beginnen bij a (b-a-b), het telpatroon van 12 st. steeds herh., eindigen bij a (b-a-b). Na de 20e nld., de 21e tm. 36e nld. steeds herh. Bij een totale hoogte van ca. 39 (41-43-45) cm., eindigen met de 36e nld., doorgaan met de 37e en volgende nldn. Bij een totale hoogte van ca. 45 (47-49-51) cm. eindigen met de 55e nld. nog 2 nldn. tricotst., breien met de hoofdkleur, aan de verkeerde kant van het werk 1 nld. r. breien, en doorgaan met nldn. nr. 3 en boordst. Bij een totale hoogte van ca. 48 (50-52-54) cm. alle st. in 1 keer afk.

VOORPAND

Breien als rugpand

MOUWEN

56 (62-68-74) st. opz. met nldn. nr. 3 en hoofdkleur en 3 cm. boordst. breien. Door-gaan met nldn. nr. 3½ en jacquardmotief in tricotst. Tel vanuit het midden met welke st. u moet beginnen, de m. in het telpa-troon is het midden. Na de 20e nld. de 21e tm. 36e nld. steeds herh. Tegelijkertijd aan weerszijden 14 maal elke 6e (6e-7e-7e) nld. 1 st. meerde-ren tot 84 (90-96-102) st. Bij een totale

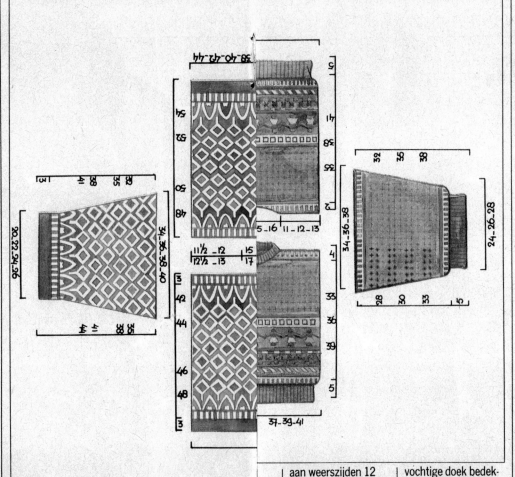

hoogte van ca. 29 (32-35) cm., eindigen met 2 effen nldn. tri-cotst., doorgaan met de 80e nld. van het telpatroon. Bij een to-tale hoogte van ca. 32 (35-38) cm., eindigen met de laatste nld. van het telpatroon alle st. in 1 keer afk.

AFWERKING

De delen met een vochtige doek bedek-ken totdat doek en werk weer droog zijn. Poppetjes opmazen volgens telpatroon. Schoudernaden slui-ten. Rondom de hals de st. breiend opne-men met nldn. nr. 3 zonder knop en hoofdkleur en in het rond 12 cm. boordst. breien. De boord naar binnen dubbel slaan en soepel tegenzo-men.
Voor informatie over de garens zie blz. 27.

aan weerszijden 12 maal elke 6e nld. 1 st. meerderen tot 82 (86-90) st. Bij een totale

□ = hoofdkleur groen
● = geel
O = paars
△ = rood

□ = hoofdkleur geel
● = rood
O = groen
● = paars

O = geel
△ = groen

□ = hoofdkleur rood
● = rood
O = groen
△ = paars

Eerst breien, dan borduren

Leuk om te doen: deze meisjestruien kunt u eerst breien om ze daarna af te werken met in kruissteek geborduurde bloemetjes. Echt voor een fleurige winter.

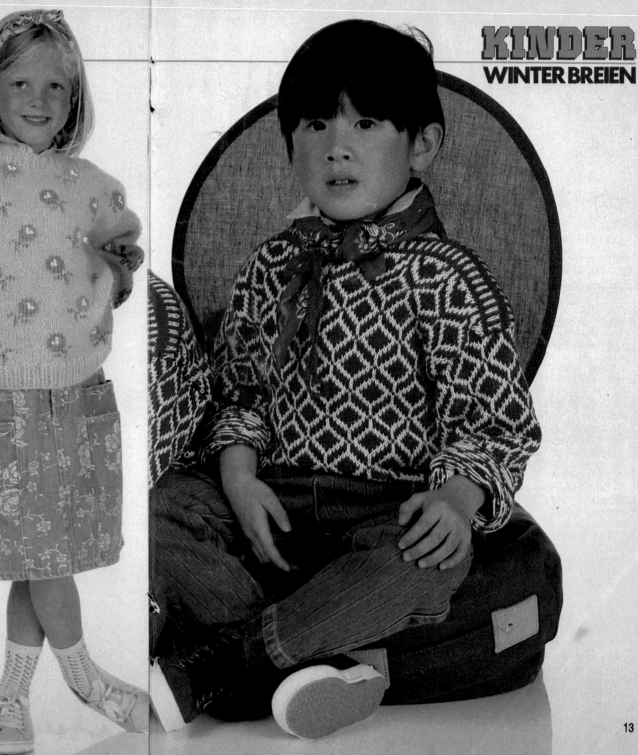

Speelse truien met motiefjes

De boorden van deze T-lijn truitjes zijn dubbelgebreid in een vertikaal streepmotiefje, de panden en mouwen hebben een ruit. Speelse warme truien, gebreid van een soepele katoenen/acryldraad.

Borduren op meisjestrui

4½ needles

MAAT: 104/110, 116/122 EN 128/134 CM

Bovenwijdte: 58/60, 62/64 en 66/68 cm.
Leeftijd: 4/5, 6/7 en 8/9 jaar.
Truiwijdte: 68, 72 en 76 cm. Werkbeschrijving voor maat 104/110 cm. De cijfers tussen de haakjes gelden achtereenvolgens voor de maten 116/122 en 128/134 cm.
Benodigdheden: 250 tot 350 gr. roze kl. nr. 02, of blauw kl. nr. 04 Orage van Pingouin, voor de bloemetjes restjes Corrida nr. 4 in de kleuren wit, tur»[7]«?519, roze nr. 537 en groen nr. 538 van Pingouin, 2 breinld. nr. 3½ en 4½, 4 breinld. nr. 3½ zonder knop, 1 maasnld.
Stekenverhouding: 16 st. en ca. 23 nld. gebreid in tricotst. met nld. nr. 4½ op 10 cm.
Let op: Indien nodig dikkere of dunnere nld. gebruiken.
Boordsteek: Afwisselend 1 r., 1 av.
Tricotsteek: Heen r., teruggaand av.

RUGPAND

46 (50-54) st. opz. met nld. nr. 3½ en roze of blauw en 5 cm. boordst. breien. In de laatste nld. verdeeld 8 st. meerderen tot 54 (58-62) st. Doorgaan met nld. nr. 4½ en tricotst. Bij een totale hoogte van 35 (38-41) cm. voor de hals de middelste 10 (12-14) st. afk. en beide delen afzonderlijk verder breien. Aan de halszijde nog 2 maal 3 st. afk. in elke 2e nld. Bij een totale hoogte van 37 (40-43) cm. de resterende st. voor de schouder in 1 keer afk. Het 2e deel tegengesteld breien.

VOORPAND

Breien als rugpand. Bij een totale hoogte van 32 (35-38) cm. voor de hals de middelste 10 (12-14) st. afk. en beide delen afzonderlijk verder breien. Aan de halszijde nog 2 maal 2 en 2 maal 1 st. afk. in elke 2e nld. Bij een totale hoogte gelijk aan die van het rugpand de resterende st. voor de schouder in 1 keer afk. Het 2e deel tegengesteld breien.

MOUWEN

26 (30-34) st. opz. met nld. nr. 3½ en 5 cm. boordst. breien. In de laatste nld. verdeeld 8 st. meerderen tot 34 (38-42) st. Doorgaan met nld. nr. 3½ en tricotst. Tegelijkertijd aan weerszijden 8 maal elke 7e nld. 1 st. meerderen tot 50 (54-58) st. Bij een totale hoogte van 31. (34-37) cm.

alle st. in 1 keer afk.

AFWERKING

De delen met een vochtige doek bedekken totdat doek en werk weer droog zijn. Voor het roze truitje met een grote en een kleine bloem: Telpatroon nr. 1 onderaan het rechtervoorpand en telpatroon nr. 2 bovenaan het linker-

AFWERKING

De delen met een vochtige doek bedekken totdat doek en werk weer droog zijn. Langs de rechter en linkerkant van de sluiting, ieder afzonderlijk de st. breiend opnemen met nld. nr. 2½ en de kleur van de boord en 2 cm

boordst. breien. Voor een meisje in de rechter, voor een jongen in de linkerkant van de sluitbies na 1 cm 2 knoopsgaten inbreien door 1 st. af te kanten en deze er in de volgende nld. weer bij op te zetten. Het 1e knoopsgat komt 1 cm vanaf de onderkant van de sluiting, het 2e

knoopsgat komt 1 cm vanaf de bovenkant van de sluiting. Schoudernaden sluiten. Langs de hals vanaf het midden van de sluitbies tot het midden van de andere sluitbies de st. breiend opnemen met nld. nr. 2½ en de kleur van de biezen en 6 cm boordst.

breien. Onderkanten van de sluitbiezen vastzetten. Mouw- en zijnaden sluiten. Mouwen inzetten. Tenslotte de knopen aannaaien.

Voor informatie over de garens, zie blz. 27.

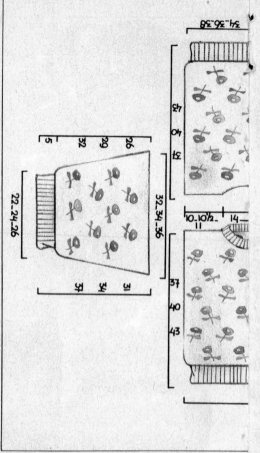

35-37-39

34-36-38

5 32 29 26

22-24-26

32-34-36

31 34

37

40

43

10-10½-11 14

8½-9 9½ 13-14-15 8½-9 9½

39 42 45

2-3-4

35-37-39

Begin light blue
add 1st row 4, 3rd row 4 more by cast on method

35-37-39

22 20 18 18 17 16

30-32-34

6 8 18 20 22 5

31 34 35

32-34-36

22-24-26

27 29 32 5

Winkeltje van de maand

't Breiwerk

,,Juist in augustus komen de nieuwe materialen uit, in de nieuwe kleuren. Ik heb de eerste garens al gezien, ze zijn echt prachtig,'' zegt Elly Bruinsma van wolwinkel ,,'t Breiwerk'' enthousiast. Haar winkel in de prachtig oude binnen-

stad van het Noordhollandse Hoorn is anders dan anders. Geen keurig opgestapelde knotjes, kleur bij kleur in vakjes, maar wel overal lange strengen wol, binnen en buiten. 't Breiwerk, Kerkplein 5a Hoorn Tel. 02290-17973

Elly Bruinsma:

Nieuwe kleuren en garens voor het najaar

,,De nieuwe kleuren voor het najaar zijn echt mooi, zegt Elly, aardetinten en allerlei kleuren paars. Ook de nieuwe materialen zijn prachtig. Super langharig mohair bijvoorbeeld met een lurex glimdraadje erin, in dezelfde tint.'' Zelf ontwerpt ze ook truien en de patronen daarbij

zijn gratis bij de aankoop van wol. ,,Ik vind het leuke van dit vak om met de mensen over breien te praten, over de modellen bijvoorbeeld en de kleurkeuze. Je geeft adviezen en samen kom je dan altijd wel tot een goed resultaat.''
Foto's: Paul Grootes

libelle Extra Breien

Nieuw:
emblemen met veel goud

Gastontwerp:
speelse trui met hondjes

KINDER
WINTER BREIEN

Motiefjes trui, combineer~polo, patentsteek vest en geborduurde meisjestruien, allemaal in vrolijke kleuren

Een uitgave van Libelle nr. 32 – 1986

Als handwerken uw hobby is

en u houdt van

breien, naaien
borduren
haken
of
knopen

dan is hier hét blad voor u! Vol aktuele breimodellen, boeiende handwerktechnieken, sfeervolle interieur-ideeën èn met de ''zo-kán-het-niet-mislukken'' BEGINNERSGARANTIE!

Een blad, op maat gemaakt voor uw hobby:

Steek

een fraai accent

3

1. Kroon met lelies
   ± f 4,– (C)
   Leeuwen in diverse vormen:
2. ± f 7,95 (A)
3. ± f 4,50 (C)
4. ± f 7,75 (C)
5. ± f 7,50 (C)
6. ± f 5,50 (A)

4

1. Prachtige speldjes
   ± f 2,50 (D)
2. 'n Fiere leeuw
   ± f 4,– (C)
3. Anker met ster
   ± f 3,50 (C)
4. Rood met goud
   ± f 7,95 (A)
5. Leeuw met kroon
   ± f 7,50 (C)
6. Mooi van vorm
   ± f 7,– (C)

Produktie: Antien Aletrino/Makkie Mulder
Foto's: Otto Polman
M.m.v.: Cinderella (schoenen), Esprit (kinderkleding), Hij (vest en polo), Sarlini (sieraden) en Romano (alpino's en sjaal).

Verkoopadressen
A = Nouveauté, Rotterdam tel: 010-119826
B = Players, Haarlem tel: 023-329945
C = De Jongh en Co., Rotterdam tel: 010-4334144
D = De Sloot, Amstelveen tel: 020-861566

31

Emblemen:voor

Opeens zijn ze er weer: emblemen. Met leeuwen, kroontjes, gouden letters en Franse lelies geven ze een vrolijk en fraai accent aan uw kleding. Op zakken, petjes, vesten of waar u maar wilt, het ene embleem nog mooier dan het andere. Kijk zelf maar.

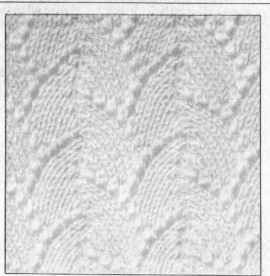

1

1. Gouden letters en een lauwerkrans ± f 11,95 (A)
2. Heel bijzonder, gedeeltelijk handwerk, uit Engeland ± f 69,– (B)
3. Een leeuw van zilver ± f 9,25 (C)

2

1. Voor skiërs ± f 3,75 (C)
2. Twee Franse lelies (C)
3. Wapenspeldjes van vroeger ± f 2,50 (D)
4. Rood met goud ± f 5,50 (A)
5. Stadembleem ± f 4,50 (C)
6. Blauw met goud ± f 5,50 (A)

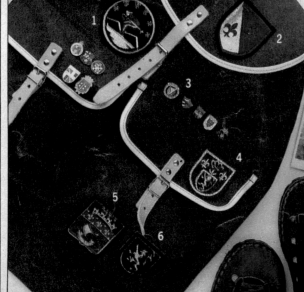

Libelles Bewaarsteek

Halve boogjes ajour

Zo'n halve boogjes ajour lijkt ingewikkeld, maar dat valt na een paar keer breien best mee.
Het resultaat: mooi open en levendig breiwerk.

Stekenaantal deelbaar door 11 plus 14
● **1e nld.:** 1 r., 2 r. samenbr., 5 r., * 1 omsl., 1 r., 1 omsl., 2 r., 3 st. overgehaald samenbr. (1 r. afh., 2 r. samenbr., en de afgeh. st. daarover heenhalen), 5 r., van * af herh., eindigen met 1 omsl., 1 r., 1 omsl., 2 r., 2 st. overgehaald samenbr. (1 r. afh., 1 r. breien en de afgeh. st. daarover heenhalen), 1 r.
● **2e en alle even nldn.:** Steken en omsl. av. breien.
● **3e nld.:** 1 r., 2 r., samenbr., 4 r., 1 omsl., * 3 r., 1 r., 3 st.

overgehaald samenbr., 4 r., 1 omsl., van * af herh., eindigen met 3 r., 1 omsl., 1 r., 2 st. overgehaald samenbr., 1 r.
● **5e nld.:** 1 r., 2 r. samenbr., 3 r., 1 omsl., 1 r., * 4 r., 1 omsl., 3 st. overgehaald samenbr., 3 r., 1 omsl., 1 r., 4 r., 1 omsl., 2 st. overgehaald samenbr., 1 r.
● **7e nld.:** 1 r., 2 r. samenbr., 2 r., 1 omsl., 1 r., 1 omsl., * 5 r., 3 st. overgehaald samenbr., 2 r., 1 omsl., 1 r., 1 omsl., van * af herh., eindigen met 5 r., 2 st. overgehaald samenbr., 1 r.
● **9e nld.:** 1 r., 2 r. sa-

menbr., 1 r., 1 omsl., 3 r., * 1 omsl., 4 r., 3 st. overgehaald samenbr., 1 r., 1 omsl., 3 r., van * af herh., eindigen met 1 omsl., 4 r., 2 st. overgehaald samenbr., 1 r.
● **11e nld.:** 1 r., 2 r. samenbr., 1 omsl., 4 r., * 1 r., 1 omsl., 3 r., 3 st. overgehaald samenbr., 1 r., 1 omsl., 4 r., van * af herh., eindigen met 1 r., 1 omsl., 3 r., 2 st. overgehaald samenbr., 1 r.
● **13e en volgende nldn.:** Herh. vanaf de 1e nld.

Foto: Otto Polman

Gratis maandblad voor Libelle abonnees. Behoort bij Libelle nr. 32
Hoofdredaktie: Peter Lichtenauer en Rob van Vuure
Alg.chef red.: Pim Nieman
Art director: Jeanne Rijks
Red.coördinatie: Makkie Mulder
Vormgeving: Jos Noyen (chef) Saskia Lodder

Marketing: Rolf van Maanen, Tineke Dekker

Uitgeverij Spaarnestad BV Postbus 1 2000 MA Haarlem Tel. 023-304304

Service Inlichtingen of klachten over bezorging bij de bladenman of tel. 023-319422.
Schriftelijk: Postbus 299, 2000 AG Haarlem

Lenny van Dun

,,Ik heb bij het maken van deze trui echt rekening gehouden met wat ik zelf leuk vind. Ik heb altijd al eens een trui willen ontwerpen met van zulke hondjes erop: het zijn echt schatjes en ze doen het prima op zo'n trui," zegt Lenny van Dun (30), gastontwerpster van deze maand.

,,Het is een eenvoudig, simpel motief en ik heb naast het zwart-wit niet zo erg veel kleur gebruikt. Zo is er toch een mooi geheel ontstaan. De trui is gemaakt van een gemengd garen van wol en een synthetische draad. Dat betekent dat-ie lekker praktisch is voor dit najaar."

Lenny is ontwerpster-styliste en maakt regelmatig producties voor Libelle. Daarnaast geeft zij les aan een mode-academie.

'Ik heb altijd al zo'n trui met van die hondjes willen maken'

MAAT: SMALL, MEDIUM, LARGE

Bovenwijdte: ca. 86, 98 en 110 cm
Truiwijdte: ca. 112, 120 en 128 cm. Werkbeschrijving voor maat small. De cijfers tussen de haakjes gelden achtereenvolgens voor de maten medium en large.
Benodigdheden: 300 tot 400 g zwart, 300 tot 400 g wit, 100 g groen, restje rood Confort van Pingouin, 2 breinld. nr. 3 en 3½, 4 breinld. nr. 3 zonder knop.
Stekenverhouding: 24 st. en ca. 27 nldn.

gebreid in tricotst. met ingebreide hondjes met nldn. nr. 3½ op 10 cm.
Let op: Indien nodig dikkere of dunnere nldn. gebruiken.
Boordsteek: Afwisselend 1 r., 1 av.
Tricotsteek: Heen recht, teruggaand av.
Ingebreide hondjes: Over 13 st. Zie telpatroon. De 1e t/m 20e nld. steeds herh. Weef aan de achterkant van het werk de draad die niet gebruikt wordt met de werkdraad mee, zodat er aan de achterkant geen lussen ontstaan en aan de voor-

kant de draad er enigszins doorschijnt.

RUGPAND

132 (145-158) st. opz. met nldn. nr. 3 en groen en 3 cm tricotst. breien. Aan de goede kant van het werk 1 nld. av. breien en doorgaan met nldn. nr. 3½ en tricotst. Bij een totale hoogte van 13 cm doorgaan in tricotst. met ingebreide hondjes met aan weerszijden 1 kantst. Bij een totale hoogte van 63 (65-67) cm voor de schouders aan weers-

zijden 3 maal 8 (9-10), en 2 maal 9 (10-11) st. afk. in elke 2e nld. Tegelijkertijd met de 4e schouderafk. de middelste 28 (31-34) st. afk. en beide delen afzonderlijk verder breien. Aan de halszijde nog 1 maal 10 st. afk. in de 2e nld. Er blijven geen st. over.
Het 2e deel tegengesteld breien.

VOORPAND

Breien als rugpand. Bij een totale hoogte van 63 (65-67) cm, gelijk met de schouderafkantingen voor ➤

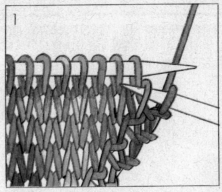
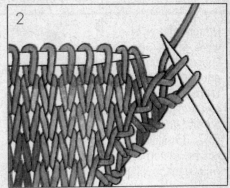
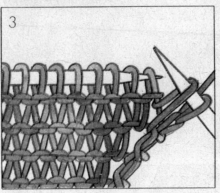
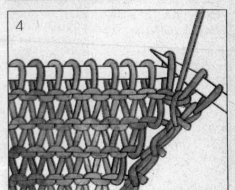

Meerderen per steek

Op deze manier kunt u meerderen per steek aan de zijkant, na de kantsteek dus, aan de goede én de verkeerde kant van het werk.

Tekening 1
Aan de goede kant van het werk, na de kantsteek, steekt u met de rechternaald in de achterdraad van de steek die een naald dieper ligt.

Tekening 2
De steek die er nu bijgekomen is, wordt recht gebreid.

Tekening 3
Aan de verkeerde kant van het werk na de kantsteek, steekt u met de rechternaald in de achterdraad van de steek die een naald dieper ligt.

Tekening 4
De steek die er nu bijgekomen is, wordt averecht gebreid.

Onder redactie van Margriet Brouwer, Illustraties: Henriëtte Meyer.

Nu profiteren! Uit het beroemde servies
Gratis: 4 kop en schotels van Marjolein Bastin

Deze vier waardevolle kop en schotels met het beroemde wilde-bosvruchten-dessin van Marjolein Bastin, krijgt u cadeau als u nu een abonnement op Libelle neemt of een nieuwe abonnee opgeeft.

De kop en schotels hebben hetzelfde dessin als het speciaal voor Libelle ontworpen Marjolein Bastin servies en zijn gemaakt door J & G Meakin, lid van de bekende Engelse Wedgwood groep. Een mooi cadeau, dus een extra reden om een abonnement te nemen of een nieuwe abonnee op te geven! Vul de bon in óf bel: 023-319422.

Dit is de nieuwe Libelle abonnee

BON

(Graag in blokletters)

Naam:

Straat: Nr.:

Postcode: Woonplaats:

Telefoon: 0148AAC1

Zij abonneert zich op Libelle voor tenminste een half jaar (26 nummers à f 2,20) en betaalt via de acceptgirokaart die haar wordt toegezonden. Het afgelopen half jaar heeft zij geen abonnement op Libelle gehad.

De nieuwe abonnee ontvangt tevens iedere maand gratis
(s.v.p. aankruisen)
☐ Libelle Extra Breien ☐ Libelle Extra Lekker Koken ☐ Libelle Extra Medisch

Bovendien wordt zij automatisch lid van de Libelle Kwaliteit Club en ontvangt het gratis lidmaatschapspasje.

Stuur mij de 4 kop en schotels van Marjolein Bastin
Ik heb een nieuwe abonnee opgegeven en ontvang de 4 kop en schotels van Marjolein Bastin

Naam:

Straat: Nr.:

Postcode: Woonplaats:

Stuur deze bon in een open enveloppe zonder postzegel naar: Libelle, Antwoordnummer 50.200, 2000 VK HAARLEM. Telefonisch opgeven kan ook, bel dan Klantenservice Libelle (Medianet b.v.): 023 – 319422.

Het duurt ongeveer 3 weken voor de nieuwe abonnee het eerste nummer thuis krijgt.

Het geschenk ontvangt u, nadat het abonnementsgeld bij ons binnen is. Deze bon is geldig tot twee maanden na datering van deze Libelle Extra. Prijswijzigingen zijn voorbehouden.

Lenny: 'Een praktische trui voor het najaar'

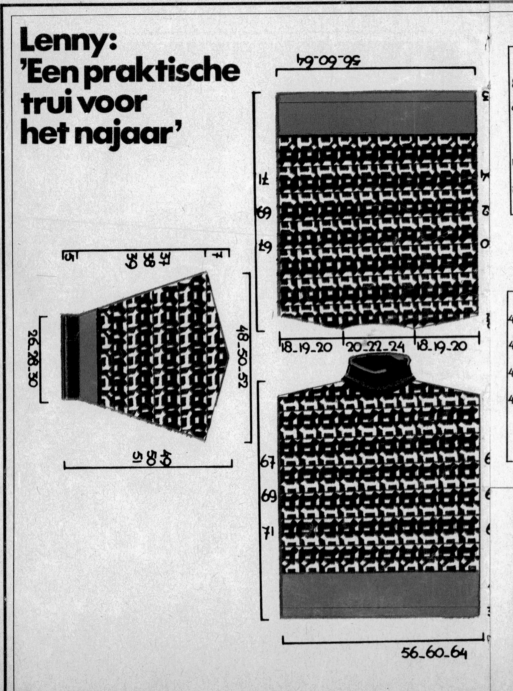

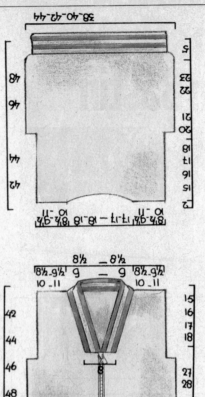

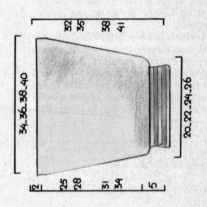

boord breien als bij het rugpand. Doorgaan met nldn. nr. 3 en patentst. Tegelijkertijd aan weerszijden 14 maal elke 8e nld. 1 st. meerderen tot 68 (72-76-80) st. Bij een totale hoogte van 32 (35-38-41) cm alle st. in 1 keer afk.

AFWERKING

De delen met een vochtige doek bedekken totdat doek en werk weer droog zijn. Schoudernaden sluiten. Langs de hals (niet langs de 8 afgekante st.) de st. breiend opnemen met nldn. nr. 2½ en de bijkleur en boordst. breien. Achtereenvolgens 1 cm bijkleur, 1½ cm hoofdkleur en 1 cm bijkleur. Halsboord aan de afgekante st. naaien. Rits aanzetten. Mouw- en zijnaden sluiten. Dan mouwen inzetten.

Produktie: Makkie Mulder
Illustraties: Henriëtte Meijer
Foto's: Freek Esser
M.m.v.: C&A, Hema, Esprit, Textiel bij Hans (kleding), Dolcis en Van Haren (schoenen), C&A (gympen), Esprit en Intertoys (tasjes en koffertjes), Federmann te Haarlem (bril), Romano (petten en sjaals).

Verkoopadressen

Lanarte, Leeuwarden
Tel: 058-151215
Jamka, Almere
Tel: 03240-16824
Nomotta, Soesterberg
Tel: 03463-3700
Pingouin, Nieuwegein
Tel: 03402-32810
Aarlan, Zaandam
Tel: 075-314125
De Jongh, Rotterdam
Tel: 010-4334144

Vest in patent-steek

MAAT: 110/116, 122/128, 134/140 146/152

Bovenwijdte: 60/62, 64/66, 68/70 en 72/75 cm.
Leeftijd: 5/6, 7/8, 9/10 en 11/12 jaar.
Vestwijdte: 76, 80, 84 en 88 cm. Werkbeschrijving voor maat 110/116 cm. De cijfers tussen de haakjes gelden achtereenvolgens voor de maten 122/128, 134/140 en 146/152 cm.
Benodigdheden: 300 tot 450 g van de hoofdkleur rood nr. 3475, of groen nr. 3522, of geel nr. 3432, ca. 25 g van de bijkleur groen, of rood of blauw nr. 3490 Famosa van Aarlan, 2 breinld. nr. 2½ en 3, 1 passende ritssluiting.
Stekenverhouding: 20 st. en ca. 46 nldn. gebreid in patentsteek met nld. nr. 3 op 10 cm.
Let op: Indien nodig dikkere of dunnere nldn. gebruiken.
Boordsteek: Afwisselend 1 r., 1 av. Bij het wisselen van kleur de 1e nld. met de nieuwe kleur aan de goede kant van het werk steeds r. breien.
Patentsteek: 1e nld.: Afwisselend 1 r., 1 av.
2e en volgende nldn.: r. boven r., en av. boven av., echter iedere r. steek 1 nld. dieper insteken en de eerste en laatste st. van iedere nld. r. breien.

RUGPAND

76 (80-84-88) st. opz. met nldn. nr. 2½ en de hoofdkleur en boordst. breien. Afwisselend * 1 cm hoofdkleur, 1 cm bijkleur, van * af 2 maal herh., eindigen met 1 cm hoofdkleur. Doorgaan met nldn. nr. 3 en patentsteek. Bij een totale hoogte van 25 (26-27-28) cm voor de armsgaten aan weerszijden 4 st. afk. Bij een totale hoogte van 40 (42-44-46) cm voor de hals de middelste 26 (26-28-28) st. afk. en beide delen afzonderlijk verder breien. Aan de halszijde nog 2 maal 2 st. afk. in elke 2e nld. Bij een totale hoogte van 42 (44-46-48) cm de resterende 17 (19-20-22) st. in 1 keer afk. Het 2e deel tegengesteld breien.

RECHTER VOORPAND

38 (40-42-44) st. opz. met nldn. nr. 2½ en de hoofdkleur. Boord breien als bij het rugpand, over de eerste 5 st. echter patentst. breien in de hoofdkleur. Na de boord doorgaan met nldn. nr. 3 en patentsteek. Bij een totale hoogte van 25 (26-27-28) cm voor het armsgat 4 st. afk. Bij een totale hoogte van 27 (28-29-30) cm aan de halszijde 1 maal 8 st. afk. Daarna 9 (9-10-10) maal 1 st. afk. in afwisselend elke 6e en 8e nld. (dus 2 st. per 14 nld.). Bij een totale hoogte gelijk aan die van het rugpand de resterende 17 (19-20-22) st. in 1 keer afk. Het linker voorpand tegengesteld breien.

MOUWEN

40 (44-48-52) st. opz. met nldn. nr. 2½ en de hoofdkleur en

de hals de middelste 18 (21-24) st. afk. en beide delen afzonderlijk verder breien. Aan de halszijde nog 1 maal 5, 1 maal 4 en 2 maal 3 st. afk. in elke 2e nld.
Bij een totale hoogte gelijk aan die van het rugpand zijn er geen st. over.
Het 2e deel tegengesteld breien.

MOUWEN

54 (58-60) st. opz. met nld. nr. 3 en zwart en 2 nldn. zwart en 1 nld. rood boordst. breien. Doorgaan met zwart en boordst. Bij een totale hoogte van 5 cm in de laatste nld. verdeeld 10 st. meerderen tot 64 (68-70) st. Doorgaan met nld. nr. 3½ en groen en tricotst. Bij een totale hoogte van 11 cm doorgaan met ingebreide hondjes in tricotst. Tel vanuit het midden met welke st. u moet beginnen, de M in het telpatroon is het midden. Tegelijkertijd aan weerszijden 25 maal elke 4e nld. 1 st. meerderen tot 114 (118-120) st. en de gemeerderde st. aansluitend meebreien in tricotst. met ingebreide hondjes. Bij een totale hoogte van 42 (43-44) cm voor de mouwkop aan weerszijden 6 (4-3) maal 6 en 3 (5-6) maal 7 st. afk. in elke 2e nld. Bij een totale hoogte van 49 (50-51) cm zijn er geen st. over.

AFWERKING

De delen met een vochtige doek bedekken totdat doek en werk weer droog zijn. Schoudernaden sluiten. Rondom de hals de st. breiend opnemen met nldn. nr. 3 zonder knop en zwart en in het rond 14 cm boordst. breien. Nog 1 toer met rood en 1 toer met zwart boordst. breien en alle st. in 1 keer soepel afk. Mouwen aannaaien. Mouw- en zijnaden sluiten. Langs de halsjes van de eerste rij witte hondjes van voor- en rugpand en mouw een rood halsbandje in stiksteek borduren.

Tekens bij telpatroon:
X = 1 st. zwart
□ = 1 st. wit

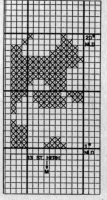

Ontwerp: Lenny van Dun
Produktie: Brigitte Speekman
Foto: Studio Czermak-Matthys
M.m.v.: Mac & Maggie (broek)

KINDER
WINTER BREIEN

't Wordt een vrolijke herfst en een kleurige winter, met deze schitterende kindertruien, polo's en vestjes. Ze zijn versierd met opgemaasde motiefjes en geborduurde kruissteekbloemen. En de ,,collegevesten'' hebben – volgens de laatste trend – een embleem!

'College' vesten
voor op school

Voor kleine studenten, prachtige schoolvesten met streepboorden, gebreid in de patentsteek. Als sluiting een stevige rits. Een embleem mag niet ontbreken.

Combineer~polo

Zo'n polo-truitje zit altijd extra lekker. Ze staan ook nog extra leuk als u ze breit in verscheidene felle kleuren. U kunt zelf de combinaties kiezen.

MAAT: 104/110, 116/122 EN 128/134 CM

Bovenwijdte: 58/60, 62/64 en 66/68 cm.
Leeftijd: 4/5, 6/7 en 8/9 jaar.
Truiwijdte: 70, 74 en 78 cm.
Werkbeschrijving voor maat 104/110. De cijfers tussen de haakjes gelden achtereenvolgens voor de maten 116/122 en 128/124 cm.
Benodigdheden: De kleuren van het truitje kunt u zelf samenstellen. Voor de boorden wordt ca. 50 gr., voor de mouwen ca. 100 gr. en voor rug- en voorpand 100 tot 150 gr. gebruikt. Blauw kl. nr. 1406, rood kl. nr. 1411, geel kl. nr. 1415, turquoise kl. nr. 1425, groen kl. nr. 1429, 2 breinld. nr. 2½ en 3½, 2 knopen.
Stekenverhouding: 22 st. en 28 nldn. gebreid in tricotst. met nldn. nr. 3½ op 10 cm.
Let op: Indien nodig dikkere of dunnere nldn. gebruiken.
Boordsteek: Afwisselend 1 r., 1 av.
Tricotsteek: Heen recht, teruggaand av.

RUGPAND

63 (67-71) st. opz. met nldn. nr. 2½ en de boordkleur en 5 cm boordsteek breien. In de laatste nld. verdeeld 15 st. meerderen tot 78 (82-86) st. Doorgaan met nldn. nr. 3½ en tricotst. in de kleur van de panden. Bij een totale hoogte van 23 (25-27) cm voor de armsgaten aan weerszijden 6 st. afk. Bij een totale hoogte van 39 (42-45) cm alle st. in 1 keer afk.

VOORPAND

Breien als rugpand. Bij een totale hoogte van 25 (28-31) cm voor de polosluiting de middelste 4 st. afk. en beide delen afzonderlijk verder breien. Bij een totale hoogte van 33 (36-39) cm aan de halszijde 1 maal 4 (5-6), 1 maal 3, 1 maal 2 en 3 maal 1 st. afk. in elke 2e nld. Bij een totale hoogte gelijk aan die van het rugpand de resterende st. voor de schouder in 1 keer afk.
Het 2e deel tegengesteld breien.

MOUWEN

40 (44-48) st. opz. met nldn. nr. 2½ en de boordkleur en 5 cm boordst. breien. In de laatste nld. verdeeld 8 st. meerderen tot 48 (52-56) st. Doorgaan met nldn. nr. 3½ en tricotst. in de kleur van de mouwen. Tegelijkertijd aan weerszijden 11 maal elke 6e (6e-7e) nld. 1 st. meerderen tot 70 (74-78) st. Bij een totale hoogte van 31 (34-37) cm alle st. in 1 keer afk.

voorpand en telpatroon nr. 2 bovenaan het linkervoorpand in kruissteek borduren. Voor het roze truitje met bloemetjes: Tel vanuit het midden met welke st. u moet beginnen. De m. in het telpatroon nr. 3 is het midden. De kleuren kunt u zelf bepalen of zie foto. Voor het blauwe truitje met bloemetjes: Tel vanuit het midden met welke st. u moet beginnen.

De m. in het telpatroon nr. 4 is het midden. De kruissteken gaan steeds over 1 steek. Schoudernaden sluiten. Rondom de hals de st. breiend opnemen met nldn. nr. 3½ zonder knop en in het rond 2½ cm. boordst. breien. Mouwen aannaaien. Tenslotte mouw- en zijnaden sluiten.

Voor informatie over de garens zie blz. 27

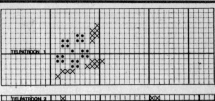
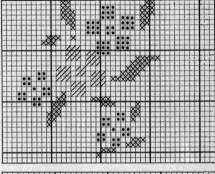
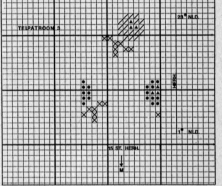
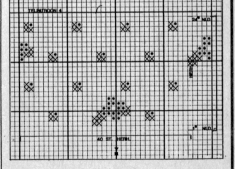

Tekens bij telpatroon:
× = 1 kruissteek groen.
● = 1 kruissteek roze.
/ = 1 kruissteek lila.
O = 1 kruissteek turquoise.
▼ = 1 kruissteek wit.

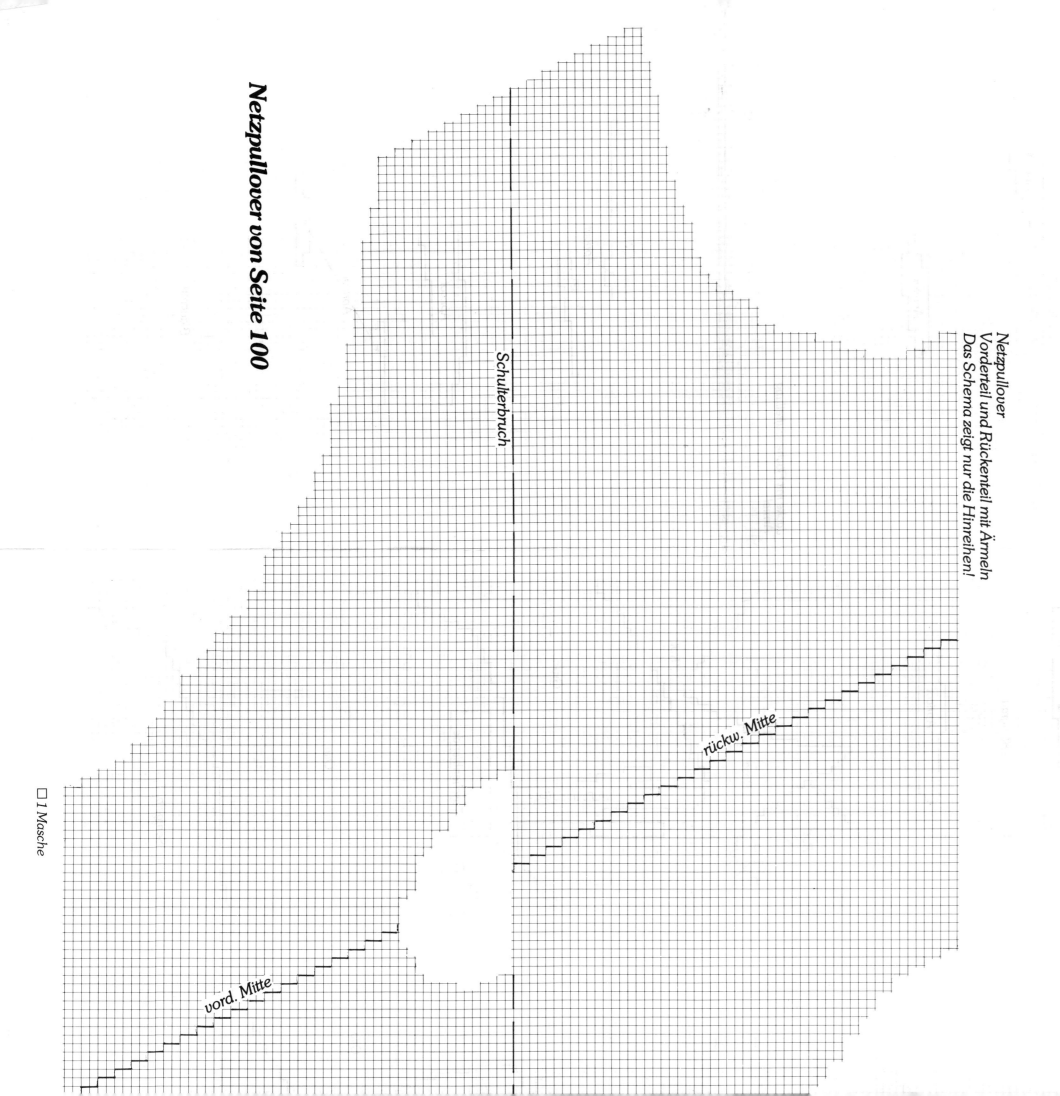

Brigitte
Stricken
Nº2
Beilagebogen

Netzpullover von Seite 100

Netzpullover
Vorderteil und Rückenteil mit Ärmeln
Das Schema zeigt nur die Hinreihen!

Schulterbruch

rückw. Mitte

vord. Mitte

□ 1 Masche

Set von Seite 104

Das Schema zeigt das Maschenbild der rechten Seite!

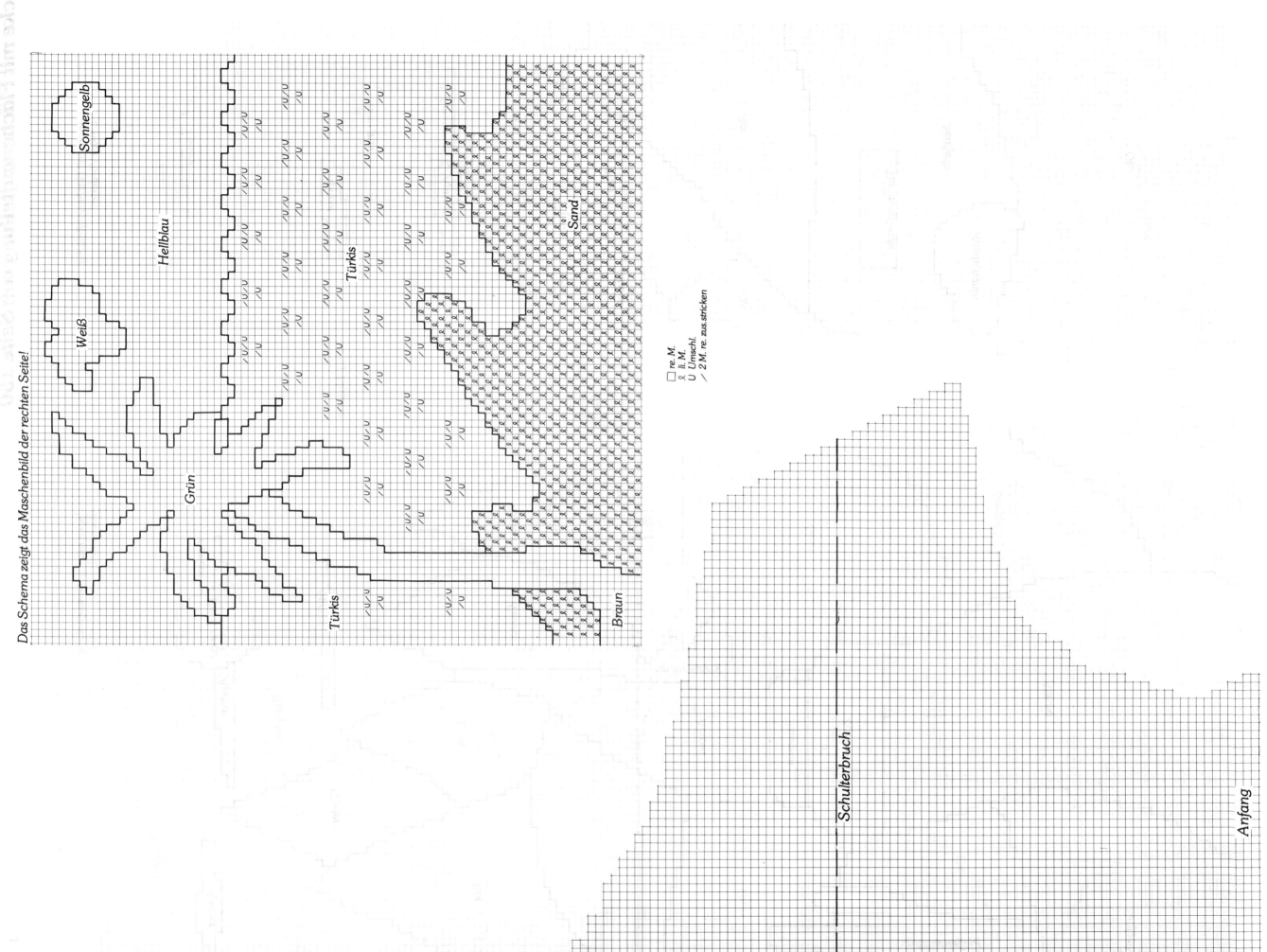

Sonnengelb

Weiß

Hellblau

Türkis

Grün

Türkis

Sand

Braun

□ re. M.
Ջ li. M.
U Umschl.
╱ 2 M. re. zus.stricken

Schulterbruch

Anfang

die Lauflänge und die Maschenprobe Ihrer Wolle mit der Anleitung überein, können Sie mit dem Stricken beginnen. Hat Ihre Maschenprobe zu viele Maschen, nehmen Sie eine halbe Nadelstärke größer. Hat die Maschenprobe zu wenig Maschen, striken Sie mit einer Nadel, die eine halbe Nummer kleiner ist. Um einen genauen Überblick über alle vorgenommenen Arbeitsgänge zu behalten, ist es empfehlenswert, sich z. B. alle Zu- und Abnahmen zu notieren und diese aufzubewahren.

Errechnen eines Schnittes

Wenn man die Anzahl der Maschen und Reihen bei einer Maschenprobe gezählt hat, kann man für jeden beliebigen Schnitt den Maschenanschlag errechnen.

Die Anzahl der Maschen für die Schnittbreite ergibt sich aus folgender Rechnung:
(gewünschte Breite   (Maschenzahl)
in Zentimetern)   x   auf 10 cm)
geteilt durch 10

Die Anzahl der Reihen für die Schnitthöhe ergibt sich aus dieser Rechnung:
(gewünschte Höhe   (Reihenzahl)
in Zentimetern)   x   auf 10 cm)
geteilt durch 10

Anhand dieser beiden Gleichungen kann man Anschlagmaschen, Reihenzahl sowie alle Zu- und Abnahmen innerhalb eines Strickstückes errechnen.

Rechenbeispiel:

Gewünschte Breite = 50 cm,
Maschenprobe: 22 Maschen =
10 cm.

Man rechnet:
$$\frac{50 \times 22}{10} = 110 \text{ Anschlagmaschen.}$$

Gewünschte Höhe = 60 cm,
Maschenprobe: 28 Reihen =
10 cm.
Man rechnet:
$$\frac{60 \times 28}{10} = 168 \text{ Reihen sind zu stricken.}$$

Die Abnahmen für einen V-Ausschnitt errechnet man so:
10 cm = halbe Ausschnittbreite
x 22 Maschen
geteilt durch 10
= 22 Abnahmemaschen

Diese verteilen sich auf eine Höhe von 25 cm:
25 cm Ausschnitthöhe x 28 Reihen
geteilt durch 10
= 70 Abnahmereihen

Die 22 Abnahmemaschen müssen auf 70 Reihen verteilt werden:
70 Abnahmereihen
geteilt durch 22 Abnahmemaschen
= in jeder 3. Reihe muß man eine Masche abnehmen (= 22mal).

Nach dem gleichen Prinzip werden die Zunahmen für eine Ärmelschrägung berechnet.

Strickmodelle

Pullover mit grafischer Aufteilung in Größe 40 bis 42

Schiefe Ebenen, wohin man blickt: Drei verschiedene Strickrichtungen und sieben verschiedene Farben machen diesen Pullover so ausgefallen.

Material: Mohairwolle (Lauflänge 100 m/50 g), d. h. 200 g in Pfefferminzgrün, 100 g in Lila und je 50 g in Oliv, Senfgelb und Zyklam. Je 20 g Lurexgarn (Lauflänge 110 m/20 g) in Grün und Lila sowie je 1 Rundstricknadel Nr. 3,5 und Nr. 4.

Grundmuster: glatt re. (Hinr. re., Rückr. li.)

Farbfolge für den gestreiften Teil: * 4 R. in Oliv, 2 R. in Senfgelb, 1 R. in grünem Lurexgarn, 6 R. in Pfefferminzgrün, 2 R. in lila Lurexgarn, 2 R. in Oliv, 5 R. in Zyklam, ab * stets wiederholen.

Maschenprobe: 20 M. in der Breite und 29 R. in der Höhe ergeben 10 cm im Quadrat.

Der **Pullover** wird in einem Stück gearbeitet, wobei die verschiedenfarbigen Flächen nacheinander gestrickt werden. Man beginnt mit dem oberen dreieckigen Teil des Rückenteiles. Dafür 3 M. mit Nadel Nr. 4 in lila Mohairwolle anschlagen und in Hin- und Rückr. im Grundmuster arbeiten. Dabei in jeder Rückr. nach der 1. M. und vor der letzten M. 1 Umschl. aufnehmen. Diese Umschl. in den folg. Hinr. re. verschr. abstricken. Außerdem in 7 cm, 14 cm und 21 cm Gesamth. beidseitig je 1 M. zusätzlich anschlagen. Ebenfalls in 21 cm Höhe für die Blende im Rippenmuster (2 M. re., 2 M. li. im Wechsel) weiterar-

beiten. Jetzt die Umschl. in den Hinr. je nach Muster re. bzw. li. verschr. abstricken. In 23 cm Gesamth. die M. abketten. Für das Vorderteil dieses Dreieck noch 1 mal genauso stricken. Nun die beiden Teile an der oberen Kante beidseitig je 8 cm breit zusammennähen (Schulternähte). Der gestreifte Teil des Pullovers wird an diese Dreiecke angestrickt. Man beginnt an der Spitze des Vorderteiles und strickt aus der Kante bis zur Schulternaht 62 M. und weiter bis zur Spitze des Rückenteiles nochmals 62 M. in Oliv heraus. Dann in Hin- und Rückr. im Grundmuster in der angegebenen Farbfolge weiterarbeiten. Dabei für den Ärmel entlang der Schulterbruchlinie M. wie folgt zunehmen: in der 1. R. (Rückr.) nach der 62. M. aus dem Querfaden der Vorr. 1 M. li. verschr. herausstricken, in der 2. R. (Hinr.) nach der 62. M. aus dem Querfaden der Vorr. 1 M. re. verschr. herausstricken. Diese Zunahmen in allen weiteren R. an den gleichen Stellen genauso wiederholen, also in der folg. Rück- und Hinr. jeweils nach der 63. M., dann weiter jeweils nach der 64. M., 65. M., 66. M. usw. je 1 M. zunehmen. Nach insgesamt 100 R. sind 224 M. auf der Nadel. In der folg. Hinr. nur die ersten 30 M. stricken (alle übrigen M. stillegen) und damit die linke untere Ecke des Vorderteiles beenden. Dafür in der folg. Rückr. die ersten 6 M. und weiter in jeder 2. R. 1mal 5 M., 4mal 4 M. und 1mal 3 M. abketten. Nun nur mit den nächsten 82 M. die vord. Ärmelhälfte beenden (die übrigen 112 M. für das

(weiter Seite 81)

Vorderteil und Rückenteil mit Ärmeln

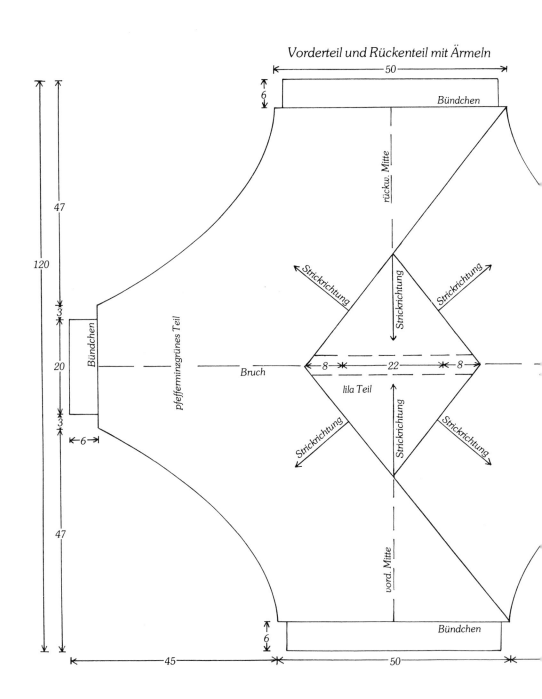

50

6

Bündchen

rückw. Mitte

47

120

Strickrichtung
Strickrichtung
Strickrichtung
Strickrichtung

3

20

Bündchen

pfefferminzgrünes Teil

Bruch

8 — 22 — 8

lila Teil

3

6

Strickrichtung
Strickrichtung
Strickrichtung

47

vord. Mitte

6

Bündchen

45

50

Rückenteil und die rückw. Ärmelhälfte weiter stillegen), d. h. in der folg. Hinr. die ersten 31 M. und weiter in jeder 2. R. 2mal 4 M., 7mal 3 M. und 4mal 2 M. abketten. Gleichzeitig in jeder Rückr. die 1. M. abketten, bis alle M. verbraucht sind. Mit den stillgelegten M. das Rückenteil und die rückw. Ärmelhälfte gegengleich beenden, d. h. die bisher in den Hinr. erfolgten Abnahmen jetzt in den Rückr., die in den Rückr. erfolgten Abnahmen jetzt in den Hinr. ausführen. Nun den pfefferminzgrünen Teil des Pullovers anstricken. Dafür, beginnend beim Rückenteil in der linken unteren Ecke, aus der Kante des gestreiften Teiles 80 M. und weiter aus der Kante

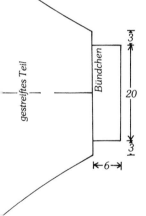

des lila Teiles bis zur Schulternaht noch einmal 62 M. herausstricken. Anschließend aus der Kante bis zur linken unteren Ecke des Vorderteiles ebenso viele M. herausstricken. In Hin- und Rückr. im Grundmuster arbeiten. Dabei sofort mit den Abnahmen für die rückw. und die vord. untere Kante beginnen. Dafür in jeder Hinr. und in jeder Rückr. die 1. M. abketten, außerdem insgesamt 22mal abwechselnd in jeder 2. und 3. Hinr. und in jeder 2. und 3. Rückr. je 1 M. zusätzlich abketten. Die Zunahmen für den Ärmel an der Bruchlinie genauso ausführen wie bei dem gestreiften Teil. Nach insgesamt 100 R. (es müssen 240 M. auf der Nadel sein) zunächst die rechte untere Ecke des Rückenteiles beenden (die übrigen M. stillegen). Dafür genau wie bei dem gestreiften Teil nur mit 30 M. plus der 8 M., die noch für die untere Kante abzuketten sind, weiterarbeiten und genauso verfahren wie bereits beschrieben. Zusätzlich in den Hinr. weiter M. abnehmen, bis alle M. verbraucht sind. Die rückw. Ärmelhälfte genauso beenden wie die vord. Ärmelhälfte des gestreiften Teiles. Dann das übrige Vorderteil und die vord. Ärmelhälfte gegengleich beenden.

Ausarbeitung: Für die Bündchen aus den Ärmelkanten jeweils 44 M. mit Nadel Nr. 3,5 in Pfefferminzgrün herausstricken und in Hin- und Rückr. 6 cm im Rippenmuster arbeiten, die M. abketten. Die Seiten- und Ärmelnähte schließen. Für das Pulloverbündchen aus der unteren Kante 220 M. mit Nadel Nr. 3,5 in Pfefferminzgrün herausstricken und in Rd. 6 cm im Rippenmuster arbeiten, die M. abketten.

Lochmusterpullover mit V-Ausschnitt in Größe 34

Das kunstvolle Lochmuster und der einfache Schnitt machen diesen Pullover zeitlos schön. Für die kühle Jahreszeit kann man ihn auch aus Wolle stricken.

Material: 650 g lavendelfarb. Baumwollgarn (Lauflänge 81 m/50 g) sowie je 1 Rundstricknadel Nr. 3,5 und Nr. 4.

Grundmuster: Lochmuster, s. auch Schema. Maschenzahl teilbar durch 13. Das Schema zeigt nur die Hinreihen bzw. ungeraden Runden.

1. Reihe/Runde: ∗ 1 M. li., 1 Umschl., 4 M. re., 2 M. zusammen wie zum Rechtsstricken abheben, 1 M. re. und die beiden abgehobenen M. darüberziehen, 4 M. re., 1 Umschl., 1 M. li., ab ∗ fortlfd. wiederholen. **2. und jede weitere Rückreihe:** die M. stricken wie sie erscheinen, re. M. re., li. M. und alle Umschl. li. (**2. und jede weitere gerade Runde:** die M. stricken wie sie erscheinen, re. M. und Umschl. re., li. M. li.). **3. Reihe/Runde:** ∗ 1 M. li., 1 M. re., 1 Umschl., 3 M. re., 2 M. zusammen wie zum Rechtsstricken abheben, 1 M. re.

und die beiden abgeh. M. darüberziehen, 3 M. re., 1 Umschl., 1 M. re., 1 M. li., ab ∗ fortlfd. wiederholen. **5. Reihe/Runde:** ∗ 1 M. li., 2 M. re., 1 Umschl., 2 M. re., 2 M. zusammen wie zum Rechtsstricken abheben, 1 M. re. und die beiden abgeh. M. darüberziehen, 2 M. re., 1 Umschl., 2 M. re., 1 M. li., ab ∗ fortlfd. wiederholen. **7. Reihe/Runde:** ∗ 1 M. li., 3 M. re., 1 Umschl., 1 M. re., 2 M. zusammen wie zum Rechtsstricken abheben, 1 M. re. und die beiden abgeh. M. darüberziehen, 1 M. re., 1 Umschl., 3 M. re., 1 M. li., ab ∗ fortlfd. wiederholen. **9. Reihe/Runde:** ∗ 1 M. li., 4 M. re., 1 Umschl., 2 M. zusammen wie zum Rechtsstricken abheben, 1 M. re. und die beiden abgeh. M. darüberziehen, 1 Umschl., 4 M. re., 1 M. li., ab ∗ fortlfd. wiederholen. Die 1.–10. Reihe/Runde fortlaufend wiederholen.

Maschenprobe: 22 M. in der Breite und 29 R. in der Höhe ergeben 10 cm im Quadrat.

(weiter S. 84)

Rücken- und Vorderteil werden bis zu den Armausschnitten in einem Stück in Runden gestrickt. Dafür 188 M. mit Nadel Nr. 3,5 anschlagen, zur Rd. schließen und zunächst für das Bündchen 6 cm im Rippenmuster (2 M. re., 2 M. li. im Wechsel) stricken. Dann 1 Rd. re. mit Nadel Nr. 4 str., dabei für die Weite M. zunehmen, d. h. 20mal nach jeder 9. M. aus dem Querfaden der Vorrd. 1 M. verschr. herausstricken. Dann mit dem Grund-muster beginnen. Der Rapport wird in der Rd. 16mal, in der Höhe insgesamt 14mal ausgeführt. In 33 cm Gesamth. die Arbeit für Rücken- und Vorderteil in zwei gleiche Hälften teilen, d. h. 104 M. für das Vorderteil auf einer Hilfsnadel stillegen (die M. von der vord. Mitte aus zählen). Mit den übrigen 104 M. in Hin- und Rückr. zunächst das Rückenteil weiter gerade hochstricken. In 55 cm Gesamth. die M. abketten. Nun das Vorderteil

Vorderteil- und Rückenteil-Hälfte

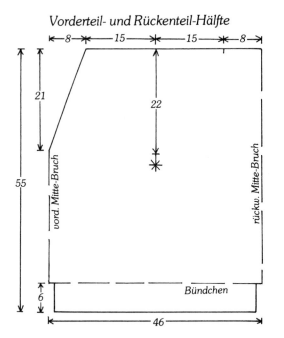

Ärmel-Hälfte

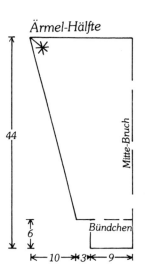

beenden. *Bis 34 cm Gesamth. strikken, dann die Arbeit für den vord. Halsausschnitt in der Mitte teilen und mit 52 M. zunächst eine Schulter beenden (die übrigen M. inzwischen stillegen). Dabei für die Ausschnittschrägung insgesamt 18mal abwechselnd in jeder 2. und 4. R. je 1 M. abnehmen, in 55 cm Gesamth. die übrigen 34 M. abketten. Während der Abnahmen auf den genauen Musterverlauf achten! Es dürfen innerhalb eines Rapports stets nur so viele Umschl. aufgenommen wie M. zusammengestrickt werden und umgekehrt. Die zweite Schulter gegengleich beenden.*

Ärmel: *46 M. mit Nadel Nr. 3,5 anschlagen und in Hin- und Rückr. zunächst für das Bündchen 6 cm im Rippenmuster stricken. Dann 1 R. li. arbeiten (Rückr.), dabei für die Weite M. zunehmen, d. h. 8mal nach jeder 5. M. aus dem Querfaden der Vorr. 1 M. li. verschr. herausstricken. Dann mit Nadel Nr. 4 im Grundmuster weiterarbeiten. Das Muster von der Ärmelmitte aus einrichten (s. Schema).*

Dabei 5mal in jeder 6. R. und noch 18mal in jeder 4. R. beidseitig je 1 M. zunehmen. Während der Zunahmen wieder besonders auf den richtigen Musterverlauf achten! In 44 cm Gesamth. die M. abketten. Den zweiten Ärmel genauso stricken.

Ausarbeitung: *Den Pullover vorsichtig nach dem Schnitt dämpfen. Die Schulter- und Ärmelnähte schließen, die Ärmel einnähen. Für die Blende aus dem Halsausschnitt 135 M. mit Nadel Nr. 3,5 herausstricken und in Rd. im Rippenmuster arbeiten. Das Muster so einrichten, daß in der vord. Mitte nur 1 M. re. gestrickt wird. An dieser Stelle für die Spitze in jeder Rd. M. wie folgt abnehmen: Die Mittelm. auf eine Hilfsnadel nehmen, die M. davor mit der folg. M. je nach Muster re. bzw. li. zus.stricken, die Mittelm. darüberziehen. In 2 cm Blendenhöhe die M. abketten.*

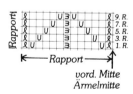

*vord. Mitte
Ärmelmitte*

☐ *re. M.*
λ *li. M.*
∪ *Umschl.*
⊐ *3 M. zus.stricken (2 M. zusammen wie zum Rechtsstrikken abheben, 1 M. re. str. und die 2 abgeh. M. zusammen darüberziehen)*

Pullunder mit Karomuster in Größe 40

Karo-As: Obgleich es so aussieht, sind die Vierecke in diesem Pullunder nicht miteinander verflochten, sondern werden nach einem einfachen System aus weicher Sportwolle in einem Stück zusammengestrickt.

Material: *Wolle (Lauflänge 70 m/ 50 g), d. h. 100 g in Zyklam, Altrosa, Grau und Aubergine und 300 g in Braun sowie 1 Nadelspiel Nr. 4,5 und Stricknadeln Nr. 4,5 und Nr. 5.*
Grundmuster: *glatt re. (Hinr. re., Rückr. li.)*
Farbfolge: *die unteren Dreiecke in Braun, dann je 1 Quadrat-Reihe in* ✳ *Zyklam, Altrosa, Grau, Aubergine* ✳ *und Braun, von* ✳ *bis* ✳ *wiederholen, die oberen Dreiecke in Braun.*
Maschenprobe: *16 M. in der Breite und 22 R. in der Höhe ergeben 10 cm im Quadrat.*

*Das **Rückenteil** wird zunächst ohne Bündchen und Blende gestrickt und an der rechten unteren Ecke begonnen. Die nach links gerichteten Dreiecke bzw. Quadrate werden vom rechten Rand des Rückenteiles nacheinander mit durchgehendem Fa-*

den zum linken Rand hin gearbeitet. Die nach rechts gerichteten Flächen beginnt man am linken Rand. Dabei muß nach jedem Quadrat der Faden abgeschnitten werden (er muß noch zum Vernähen reichen). Für das erste Dreieck 2 M. in Braun anschlagen. In der folg. R. (Rückr.) ✳ *aus der 1. M. 1 M. re. und 1 M. li. herausstricken, die 2. M. li. stricken (3 M.). Im Grundmuster weitere 15 R. arbeiten. Dabei an der rechten Seite die Randmasche in allen Hin- und Rückr. re. stricken, an der linken Seite in jeder Hinr. M. zunehmen, und zwar 2mal 1 M., 1mal 2 M., 2mal 1 M., 1mal 2 M., 1mal 1 M. und 1mal 2 M. (14 M.). Dann in der folg. Rückr. mit den ersten 2 M. das 2. Dreieck beginnen, d. h. ab* ✳ *wiederholen, die übrigen 12 M. ungestrickt lassen. Auf diese Weise 6 Dreiecke arbeiten (beim letzten Dreieck nur so viele M. zunehmen, daß 12 M. erreicht werden). Nun mit einem neuen Faden und der ersten Quadrat-Reihe beginnen. Zunächst am linken Rand ein Dreieck stricken.*

(weiter Seite 88)

Dafür auf der linken Nadel 2 M. in Zyklam anschlagen und im Grundmuster 17 R. wie folgt arbeiten: Die 2 M. re. stricken (1. R.), dann weiter in allen Rückr. die letzte zyklamfarb. M. abwechselnd mit 1 M. bzw. 2 M. in Braun li. zus.stricken. In allen Hinr. die 1. M. abheben und am linken Rand M. zunehmen, und zwar 2mal 1 M., 1mal 2 M., 2mal 1 M., 1mal 2 M. und 2mal 1 M. Es sind 12 M. auf der

Nadel, und die Verbindung zur linken Seite des Dreiecks ist hergestellt. * Die M. auf die linke Nadel nehmen und mit der rechten Nadel aus der rechten Kante des Dreiecks 12 M. herausstricken. Für ein Quadrat 16 R. im Grundmuster arbeiten, dabei in den Rückr. die letzte M. mit den M. des nächsten Dreiecks zus.stricken wie bereits beschrieben. An der anderen Seite die Randmasche gerade

Vorderteil- und Rückenteil

hochstricken. Ab ✳ 4mal wiederholen. Das erste Dreieck an der rechten Seite des Rückenteiles genauso beginnen, jedoch in allen Hinr. am Anfang abwechselnd 1 M. bzw. 2 M. abketten. In der 16. R. sind alle M. verbraucht. Die 2. Quadrat-Reihe von rechts nach links stricken. Dafür 12 M. in Altrosa aus dem zyklamfarbenen Dreieck herausstricken und weitere 16 R. im Grundmuster arbeiten. Die Randmasche der rechten Seite gerade hochstricken, an der linken Seite in den Hinr. die letzte M. stets mit den M. eines zyklamfarbenen Quadrates zus.stricken, und zwar in dem Rhythmus, der in der 1. Quadrat-Reihe beschrieben ist (die letzte M. abheben, 1 M. re. stricken bzw. 2 M. re. zus.stricken und die abgehobene M. darüberziehen), in den Rückr. die 1. M. nur abheben. Mit demselben Faden nacheinander die übrigen 5 Quadrate genauso stricken. Die 1. und 2. Quadrat-Reihe in der Farbfolge fortlfd. wiederholen. Die oberen Dreiecke genau wie die Quadrate beginnen,

jedoch an der rechten Seite in allen Hinr. M. abketten, und zwar abwechselnd 1 M. bzw. 2 M. Für die Blende aus der oberen Kante 94 M. mit Nadeln Nr. 4,5 in Braun herausstricken und 3 cm Rippenmuster (2 M. re., 2 M. li. im Wechsel) arbeiten, danach die M. abketten. Für das Bündchen aus der unteren Kante 90 M. mit Nadeln Nr. 4,5 in Braun herausstricken und 7 cm im Rippenmuster arbeiten, danach die M. abketten. Das **Vorderteil** genauso stricken.
Ausarbeitung: Die Teile von links schnittgemäß spannen und vorsichtig dämpfen. Die Seitennähte 35 cm hoch und die Schulternähte 15 cm breit schließen. Für die Armblenden aus den Kanten jeweils 88 M. mit dem Nadelspiel in Braun herausstricken und in Rd. 9 cm im Rippenmuster arbeiten, danach die M. abketten.

Patentgestrickter Pullover in Größe 36 und Größe 40

Ein Pullover, zum Patent angemeldet: Das hüftlange Alpakamodell kann man auch lässig mit Gürtel tragen. Eine ideale Ergänzung zu Lederhosen oder Tweedröcken. Alle Angaben für Größe 40 stehen, sofern sie abweichen, in eckigen Klammern.

Material: 700 g [750 g] rehbraune Alpakawolle (Lauflänge 125 m/50 g) und Stricknadeln Nr. 4.

Grundmuster: Patentmuster, gerade Maschenzahl.
1. Reihe: 1 Randm., * 1 Umschl., 1 M. wie zum Linksstricken abheben, 1 M. re., ab * fortlfd. wiederholen, 1 Randm. **2. Reihe:** 1 Randm., * 1 Umschl., 1 M. wie zum Linksstricken abheben, die folgende M. mit dem Umschl. der Vorr. re. zusammenstricken, ab * fortlfd. wiederholen, 1 Randm. Die 2. Reihe fortlaufend wiederholen. (weiter Seite 92)

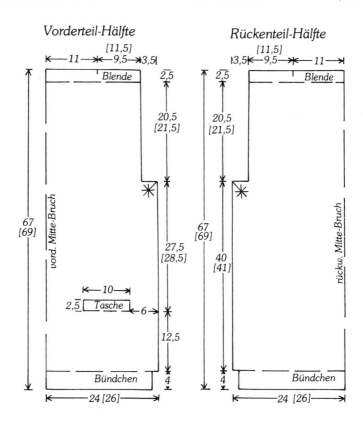

Vorderteil-Hälfte

[11,5]
←—11—→*←—9,5—→*3,5|

Blende   2,5

20,5
[21,5]

vord. Mitte-Bruch

67
[69]

27,5
[28,5]

←—10—→
2,5 [Tasche]←—6—→

12,5

Bündchen   4

←——24 [26]——→

Rückenteil-Hälfte

[11,5]
|3,5←—9,5—→*←—11—→|

2,5   Blende

20,5
[21,5]

rückw. Mitte-Bruch

67
[69]

40
[41]

Bündchen   4

←——24 [26]——→

Maschenprobe: 17 M. in der Breite und 42 R. in der Höhe ergeben 10 cm im Quadrat.

Rückenteil: 82 M. [88 M.] anschlagen und zunächst für das Bündchen 4 cm im Rippenmuster (1 M. re., 1 M. li. im Wechsel) stricken. Dann im Grundmuster weiterarbeiten. In 44 cm [45 cm] Gesamthöhe für die Armausschnitte beidseitig je 6 M. abketten, gerade weiterstricken. In 64,5 cm [66,5 cm] Gesamthöhe für die Blende im Rippenmuster weiterarbeiten. In 67 cm [69 cm] Gesamthöhe die M. abketten.

Das *Vorderteil* wird genau wie das Rückenteil gestrickt. Zusätzlich jedoch 2 Taschen wie folgt einarbeiten: In 16,5 cm Gesamthöhe mit dem Einstricken der Taschenblenden beginnen. Dafür beidseitig je 18 M. (jeweils die 11.–28. M. von außen) im Rippenmuster arbeiten. Alle übrigen M. wie gewohnt im Grundmuster stricken. In 19 cm Gesamthöhe für die Tascheneingriffe diese Blendenm. abketten. Dann zunächst 2 Taschenbeutel anfertigen. Dafür getrennt jeweils 18 M. neu anschlagen und 15 cm im Grundmuster arbeiten. Diese Teile anstelle der abgeketteten M. auf die Nadel nehmen und wie gewohnt weiterarbeiten.

Ärmel: 44 M. [48 M.] anschlagen und zunächst für das Bündchen 4 cm im Rippenmuster stricken. Dann im Grundmuster weiterarbeiten. Dabei für die Weite 18mal abwechselnd in jeder 8. und 10. R. beidseitig je 1 M. zunehmen. In 48,5 cm Gesamthöhe die M. abketten. Den zweiten Ärmel genauso stricken.

Ausarbeitung: Die Seiten- und Ärmelnähte bis ∗, die Schulternähte 9,5 cm [11,5 cm] breit schließen. Die Ärmel ∗ an ∗ einnähen. Die Taschenbeutel von links unsichtbar festnähen.

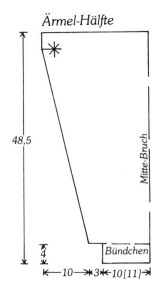

Ärmel-Hälfte

Umschlagtuch *(Foto Seite 94)*

Schmeichelhaftes für die Schultern: sieben plastische Muster treffen hier reihenweise aneinander und ergeben ein riesengroßes Umschlagtuch. Es wärmt an kühlen Sommerabenden, kann aber auch im Winter über einem Mantel getragen werden.

Material: *650 g naturfarb. Wolle (Lauflänge 85 m/50 g) und 1 lange Rundstricknadel Nr. 4.*
Grundmuster I: *4 Reihen kraus re. (Hinr. re., Rückr. re.)*
Grundmuster II: *8 Reihen glatt re. (Hinr. re., Rückr. li.) mit Noppen. Man arbeitet in der 3. R. (Hinr.) in jede 10. M. eine Noppe wie folgt: 5 M. re. in die betreffende M. stricken, dabei abwechselnd 1 mal von vorne, 1 mal von hinten in die M. einstechen, über diese 5 M. 4 R. glatt re. (Rückr. li., Hinr. re.) arbeiten. Dann nacheinander die ersten M. über die 5. M. ziehen, d. h. zuerst die 4. M., dann die 3. M., die 2. M. und zuletzt die 1. M. über die 5. M. ziehen. In der 7. R. die Noppen im gleichen Abstand, jedoch versetzt zu den ersten Noppen, anordnen.*
Grundmuster III: *Lochmuster über 4 Reihen.* **1. und 2. Reihe:** *re.* **3. Reihe:** *2 M. re. zus.stricken, 1 Umschl. im Wechsel,* **4. Reihe:** *alle M. und Umschl. re.*
Grundmuster IV: *Zackenmuster über 10 Reihen.* **1. Reihe:** *re.* **2. und jede weitere Rückreihe:** *li.* **3. Reihe:** *✳ 1 Umschl., 1 M. abheben, 1 M. re. und die abgehobene M. darüberziehen, 6 M. re., ab ✳ fortlfd. wiederholen.* **5. Reihe:** *✳ 1 M. re.,*

1 Umschl., 1 M. abheben, 1 M. re. und die abgehobene M. darüberziehen, 3 M. re., 2 M. re. zus.stricken, 1 Umschl., ab ✳ fortlfd. wiederholen. **7. Reihe:** *✳ 2 M. re., 1 Umschl., 1 M. abheben, 1 M. re., und die abgehobene M. darüberziehen, 1 M. re., 2 M. re. zus.stricken, 1 Umschl., 1 M. re., ab ✳ fortlfd. wiederholen.* **9. Reihe:** *✳ 3 M. re., 1 Umschl., 1 M. abheben, 2 M. re. zus.stricken und die abgehobene M. darüberziehen, 1 Umschl., 2 M. re., ab ✳ fortlfd. wiederholen.*
Grundmuster V: *Kordelmuster über 12 Reihen.* **1. Reihe (Hinr.):** *re.* **2. Reihe:** *li.* **3. Reihe:** *✳ 1 M. li., 1 M. li. abheben (der Faden liegt vor der Masche), ab ✳ fortlfd. wiederholen.* **4. Reihe:** *✳ die in der Vorr. abgehobene M. re. str., die in der Vorr. gestrickte M. li. abheben (der Faden liegt hinter der Masche), ab ✳ fortlfd. wiederholen.* **5. Reihe:** *re.* **6. Reihe:** *li. Die 1.–6. Reihe 1 mal wiederholen.*

(weiter Seite 95)

Grundmuster VI: *Blattmuster über 14 Reihen.* **1. Reihe (Hinr.):** *li.* **2. Reihe:** *re.* **3. Reihe:** *∗ 9 M. li., 1 Umschl., 1 M. re., 1 Umschl., ab ∗ fortlfd. wiederholen.* **4. und jede weitere Rückreihe:** *die M. stricken wie sie erscheinen, alle Umschl. li.* **5. Reihe:** *∗ 9 M. li., 1 M. re., 1 Umschl., 1 M. re., 1 Umschl., 1 M. re., ab ∗ fortlfd. wiederholen.* **7. Reihe:** *∗ 9 M. li., 2 M. re., 1 Umschl., 1 M. re., 1 Umschl., 2 M. re., ab ∗ fortlfd. wiederholen.* **9. Reihe:** *∗ 9 M. li., 1 M. abheben, 1 M. re. und die abgehobene M. darüberziehen, 3 M. re., 2 M. re. zus.stricken, ab ∗ fortlfd. wiederholen.* **11. Reihe:** *∗ 9 M. li., 1 M. abheben, 1 M. re. und die abgehobene M. darüberziehen, 1 M. re., 2 M. re. zus.-stricken, ab ∗ fortlfd. wiederholen.* **13. Reihe:** *∗ 9 M. li., 1 M. abheben, 2 M. re. zus.stricken und die abgehobene M. darüberziehen, ab ∗ fortlfd. wiederholen.*

Grundmuster VII: *Persianermuster über 8 Reihen.* **1. Reihe (Hinr.):** *li.* **2. Reihe:** *∗ aus der folg. M. 1 M. re., 1 M. li. und 1 M. re. herausstricken, 3 M. li. zus.stricken, ab ∗ fortlfd. wiederholen.* **3. Reihe:** *li.* **4. Reihe:** *∗ 3 M. li. zus.stricken, und zwar die in der 2. R. aus einer M. herausgestrickten M., aus der folg. M. 1 M. re., 1 M. li. und 1 M. re. herausstricken, ab ∗ fortlfd.*

wiederholen. Die 1.–4. Reihe 1mal wiederholen. Grundmuster I bis VII fortlaufend wiederholen.

Maschenprobe: *16 M. in der Breite und 32 R. in der Höhe ergeben 10 cm im Quadrat.*

Anleitung: *Das Tuch ist ohne Fransen an der oberen Kante ca. 1,70 m breit und von der Spitze bis zur oberen Kante ca. 0,85 m hoch. Es wird an den Seitenkanten begonnen. Dafür 381 M. und an jeder Seite 1 Randm. anschlagen und in Hin- und Rückr. Grundmuster I bis VII in der angegebenen Reihenfolge stricken. Dabei die mittl. M. in allen Hinre. re., in allen Rückr. li. arbeiten. Außerdem in allen Hinr. für die Dreiecksform M. abnehmen: jeweils nach der 1. M., vor und nach der mittl. M. und vor der letzten M. 2 M. li. zus.stricken. Der Rapport der einzelnen Grundmuster wird bis 2 M. vor der mittl. M. stets wiederholt, nach der mittl. M. wird die R. gegengleich beendet. Da sich durch die Abnahmen die Maschenzahl ständig ändert, ist bei den einzelnen Mustern besonders darauf zu achten, daß sich der Musterverlauf in der Höhe richtig fortsetzt. Das Tuch so weit stricken, bis nur noch 5 M. auf der Nadel sind, diese gemeinsam abketten. Für die Fransen 35 cm lange Fäden schneiden und jeweils 4 Fäden zusammen in Abständen von 3 cm in die Seitenkanten einknüpfen. Danach jede Franse teilen und jeweils 4 Fäden mit der davor oder dahinter liegenden Franse verknoten.*

Jacke und Pullunder für ihn in Größe 50 und Größe 54

Ein Twinset mal ganz anders:
Die kleinen grafischen Muster des
Pullunders harmonieren perfekt mit den
plastischen Zöpfen der Cardiganjak-
ke. Die Shetlandwolle gibt es in vielen
klassischen und modischen Farben.
Alle Angaben für Größe 54 stehen,
sofern sie abweichen, in eckigen
Klammern.

Material für den Pullunder: Shetlandwolle (Lauflänge 120 m/50 g)
d. h. 300 g [350 g] in Weinrot und je
100 g [150 g] in Grau, Rost und Lila
sowie je 1 Rundstricknadel Nr. 3,5
und Nr. 4.

Material für die Jacke: 900 g
[950 g] graue Shetlandwolle (Lauflg.
120 m/50 g) sowie je 1 Rundstricknadel Nr. 3,5 und Nr. 4, dazu 6 Knöpfe.

Pullunder
Grundmuster: glatt re. (Hinr. re.,
Rückr. li., in Runden nur re.), Muster
s. Schema, Maschenzahl teilbar durch 6.

Maschenprobe: 25 M. in der Breite
und 31 R. in der Höhe ergeben 10 cm
im Quadrat.

Der **Pullunder** wird bis zu den Armausschnitten in einem Stück in
Runden gestrickt. Dafür 260 M. [280
M.] mit Nadel Nr. 3,5 in Weinrot anschlagen, zur Rd. schließen und zunächst für das Bündchen 6 cm im
Rippenmuster (2 M. re., 2 M. li. im
Wechsel) stricken. Mit Nadel Nr. 4
dann 1 Rd. re. in der begonnenen
Farbe stricken. Dabei für die Weite M.
zunehmen, d. h. insgesamt 22mal ab-

wechselnd nach jeder 11. und 12. M.
[20mal nach jeder 14. M.] aus dem
Querfaden der Vorrd. 1 M. re.
verschr. herausstricken.
Weiter im Grundmuster das Muster
nach dem Schema arbeiten. Den
Rapport in der Breite und Höhe fortlaufend wiederholen. In 40 cm [41
cm] Gesamth. die Arbeit in Rücken-
und Vorderteil teilen, d. h. 141 M.
[150 M.] auf einer Hilfsnadel stillegen, mit den übrigen 141 M. [150 M.]
zunächst das Rückenteil beenden.
Dabei für die Armausschnitte beidseitig sofort 5 M. und weiter in jeder 2. R.
1mal 3 M., 2mal 2 M. und 3mal 1 M.
abketten, gerade weiterstricken. In
63 cm [65 cm] Gesamth. für den
rückw. Halsausschnitt die mittl. 29 M.
[34 M.] abketten und zunächst eine
Schulter beenden. Dabei weiter in jeder 2. R. 3mal 2 M., gleichzeitig für
die Schulterschräge 2mal 12 M.
und 1mal 11 M. [13 M.] abketten. Die
zweite Schulter gegengleich stricken.
Nun am Vorderteil weiterarbeiten.
Die stillgelegten M. für den vord. Halsausschnitt teilen, d. h. die Mittelm.
[entfällt bei Gr. 54] und 70 M. [75 M.]
für eine Vorderteilhälfte stillegen, mit
den übrigen 70 M. [75 M.] zunächst
eine Schulter beenden. Dabei für die
Ausschnittschräge sofort und weiter 19mal in jeder 4. R. [5mal in jeder
2. R. und noch 17mal in jeder 4. R.] je
1 M. abketten. Gleichzeitig die Abnahmen für den Armausschnitt und
die Schulterschräge genau wie
beim Rückenteil vornehmen. Die
zweite Schulter gegengleich beenden.

(weiter Seite 98)

Ausarbeitung: *Den Pullunder von links schnittgemäß spannen und vorsichtig dämpfen. Die Schulternähte schließen. Für die Blende aus dem Halsausschnitt 170 M. [179 M.] mit Nadel Nr. 3,5 in Weinrot herausstrikken, die stillgelegte M. in der vord. Mitte mit auf die Nadel nehmen [entfällt bei Gr. 54] und in Rd. im Rippenmuster arbeiten. Das Muster so einrichten, daß in der vord. Mitte nur 1 M. re. gestrickt wird und an dieser Stelle für die Spitze in jeder Rd. wie folgt M. abnehmen: Die Mittelm. auf eine Hilfsnadel nehmen, die M. davor mit der folg. M. je nach Muster re. bzw. li. zus.stricken, die Mittelm. darüberziehen. In 2 cm Höhe die M. ab-ketten. Für die Armblenden aus den Kanten jeweils 112 M. [120 M.] mit Nadel Nr. 3 in Weinrot herausstrikken und in Rd. 2 cm im Rippenmuster arbeiten, die M. abketten.*

Jacke
Grundmuster: *Zopfmuster, Maschenzahl teilbar durch 15 plus 5 M. und 2 Randm.* **1. Reihe:** *1 Randm., 5 M. re., * 2 M. li., 6 M. re., 2 M. li., 5 M. re., ab * fortlfd. wiederholen, 1 Randm.* **2.–4. Reihe:** *die M. stricken wie sie erscheinen.* **5. Reihe:** *1 Randm., 5 M. re., * 2 M. li., 3 M. auf einer Hilfsnadel hinter die Arbeit legen, 3 M. re., die M. der Hilfsnadel re., 2 M. li., 5 M. re., ab * fortlfd. wieder-*

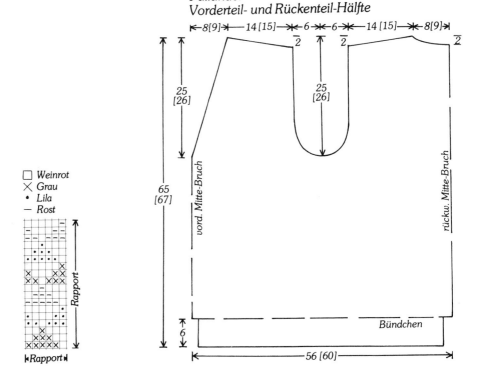

Pullunder
Vorderteil- und Rückenteil-Hälfte

☐ Weinrot
✕ Grau
• Lila
— Rost

Rapport

|◄Rapport►|

holen, 1 Randm. **6.–8. Reihe:** die M. stricken wie sie erscheinen. Die 1.–8. Reihe fortlaufend wiederholen.
Maschenprobe: 30 M. in der Breite und 33 R. in der Höhe ergeben 10 cm im Quadrat.
Rücken- und Vorderteile werden bis zu den Armausschnitten in einem Stück gestrickt. Dafür 298 M. [326 M.] mit Nadel Nr. 3,5 anschlagen und in Hin- und Rückr. zunächst für das Bündchen 5 cm im Rippenmuster (2 M. re., 2 M. li. im Wechsel) stricken. Dann mit Nadel Nr. 4 im Grundmuster weiterarbeiten. Dabei in der 1. R. für die Weite M. zunehmen, d. h. ins-

gesamt 54mal [56mal] abwechselnd nach jeder 5. und 6. M. aus dem Querfaden der Vorr. je nach Muster 1 M. re. bzw. li. verschr. herausstricken. In 19 cm Gesamth. mit dem Einstrikken der Taschenblenden beginnen, d. h. in den folg. 10 R. beidseitig je 46 M. (jeweils die 22.–67. M. von außen) im Rippenmuster arbeiten, alle übrigen M. weiter im Grundmuster strikken. In der nächsten R. für die Tascheneingriffe beidseitig die Blendenm. abketten. Nun zunächst zwei Taschenbeutel anfertigen. Dafür getrennt jeweils 46 M. neu anschlagen und in Hin- und Rückr. 17 cm glatt

(weiter Seite 100)

Jacke
Vorderteil- und Rückenteil-Hälfte

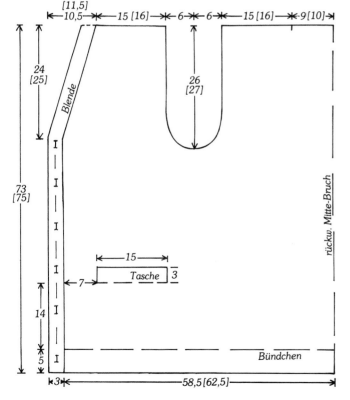

Jacke
Ärmel-Hälfte

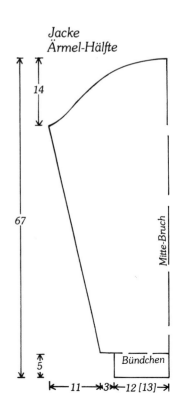

re. (Hinr. re., Rückr. li. stricken.
Dann diese Teile anstelle der abgeketteten M. auf die Nadel nehmen
und wie gewohnt weiterarbeiten. In
47 cm [48 cm] Gesamth. beidseitig die
äußeren 86 M. [93 M.] auf einer Hilfsnadel stillegen. Mit den mittl. 180 M.
[196 M.] zunächst das Rückenteil beenden. Dabei für die Armausschnitte
beidseitig sofort 6 M. und weiter in jeder 2. R. 1mal 3 M., 3mal 2 M. und
3mal 1 M. abketten, gerade weiterstricken. In 73 cm [75 cm] Gesamth.
die übrigen M. abketten. Nun ein
Vorderteil beenden. Dabei für die
Ausschnittschrägung 23mal [25mal]
abwechselnd in jeder 2. und 4. R. je 1
M. abketten. Gleichzeitig die Abnahmen für den Armausschnitt genau
wie beim Rückenteil ausführen. In 73
cm [75 cm] Gesamth. die restlichen
45 M. [50 M.] abketten. Das zweite
Vorderteil gegengleich beenden.
Ärmel: 64 M. [66 M.] mit Nadel Nr.
3,5 anschlagen und in Hin- und
Rückr. zunächst für das Bündchen 5
cm im Rippenmuster stricken. Dann
1 R. (Rückr.) li. arbeiten. Dabei für
die Weite M. zunehmen, d. h. insgesamt 30mal [34mal] nach jeder 2. M.
[abwechselnd nach jeder 1. und 2.

M.] aus dem Querfaden der Vorr. 1
M. li. verschr. herausstricken. Dann
mit Nadel Nr. 4 im Grundmuster weiterarbeiten. Das Muster so einrichten,
daß in der Ärmelmitte ein Zopf hoch-
läuft. Außerdem insgesamt 31mal
abwechselnd in jeder 4. und 6. R.
beidseitig je 1 M. zunehmen. Es werden 156 M. [162 M.] erreicht. In 53
cm Gesamth. mit den Abnahmen für
die Armkugel beginnen. Dafür beidseitig je 6 M. und weiter in jeder 2. R.
1mal 3 M., 17mal 2 M., 2mal 3 M.,
2mal 5 M., 1mal 8 M., dann die restlichen 22 M. [28 M.] abketten. Den
zweiten Ärmel genauso stricken.
Ausarbeitung: Die Schulter- und
Ärmelnähte schließen, die Ärmel einnähen. Die Taschenbeutel von links
festnähen. Für die Blende aus den
vord. Kanten und dem rückw. Halsausschnitt insgesamt 370 M. [382 M.]
mit Nadel Nr. 3,5 herausstricken
und in Hin- und Rückr. im Rippenmuster arbeiten. Dabei in 1,5 cm Höhe beim linken Vorderteil gleichmäßig verteilt (s. Schnittschema) 6 Knopflöcher einstricken. Dafür jeweils 2
M. abketten und in der folg. R. wieder
anschlagen. In 3 cm Höhe die M. abketten. Die Knöpfe annähen.

Netzpullover in Größe 38

Loch an Loch und hält doch: Mit diesem Netzpullover können Sie im
nächsten Sommer ganz kühl bleiben.
Der superweite Schnitt, die luftige
Strickart und die glatte Baumwolle
sind ideal für hohe Temperaturen.

Material: 600 g naturfarb. Baumwollgarn (Lauflänge 70 m/50 g) sowie je 1 Rundstricknadel Nr. 3,5 und
4,5.

(weiter Seite 103)

Vorderteil- und Rückenteil-Hälfte mit Ärmel

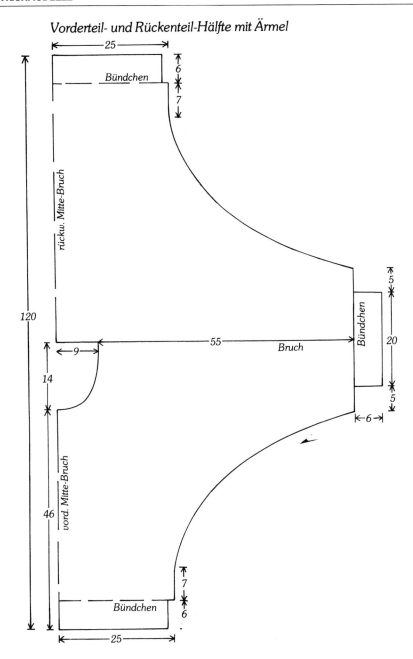

25

Bündchen

6

7

rückw. Mitte-Bruch

120

55   *Bruch*

Bündchen

5

20

5

9

14

6

vord. Mitte-Bruch

46

7

Bündchen

6

25

Grundmuster: *Gerade Maschenzahl.* **Hinreihen:** *1 Randm., * 1
Umschl., 2 M. re. zus. stricken (von
hinten in die erste und zweite Masche
auf der linken Nadel einstechen und
zusammen abstricken), ab * stets
wiederholen, 1 Randm.* **Rückreihen:** *alle M. und Umschl. li.,
Schema siehe Beilagebogen.*
Maschenprobe: *14 M. in der Breite
und 20 R. in der Höhe ergeben 10 cm
im Quadrat.*
Der **Pullover** *wird in einem Stück
gestrickt und am vord. Bündchen begonnen. Dafür 72 M. mit Nadel Nr.
3,5 anschlagen und in Hin- und
Rückr. zunächst für das Bündchen 6
cm im Rippenmuster (2 M. re., 2 M. li.
im Wechsel) stricken. Dann mit Nadel Nr. 4,5 im Grundmuster weiterarbeiten. Dieses Muster hat die Nei-
gung schräg zu laufen. Damit sich
das Strickteil nicht verzieht, muß
man dieses durch Zu- und Abnahmen ausgleichen.
Es wird nach dem Schema gearbeitet
(s. Beilagebogen). Das Schema zeigt
nur die Hinreihen! Die Rückreihen
werden links gestrickt. 1 Kästchen ist
1 M. bzw. 1 Umschl. oder 2 zusam-
mengestrickte M. Dabei auf den
richtigen Musterverlauf achten (s.
Grundmuster)! Die aus dem Umschl.
der vorherigen Hinr. entstandene M.
muß immer mit der folg. M. zusammengestrickt werden! Dadurch sind
an den Seiten teilweise einzelne M. in
den Hinr. re., in den Rückr. li. zu*

*stricken, bis diese durch weitere Zu-
bzw. Abnahmen mit einer 2. M. zusammengestrickt werden können.
Nach Beginn des vord. Halsaus-
schnittes wird zunächst eine Seite,
dann die andere Seite bis zur Schulterbruchlinie gearbeitet. Für den
rückw. Halsausschnitt zwischen diesen Hälften 24 M. neu anschlagen
und den Pullover weiter nach dem
Schema beenden. Anschließend für
das Bündchen mit Nadel Nr. 3,5
noch 6 cm im Rippenmuster stricken,
die M. abketten.*
Ausarbeitung: *Den Pullover
schnittgemäß spannen und
dämpfen.
Für die Bündchen aus den Ärmelkanten jeweils 42 M. mit Nadel Nr.
3,5 herausstricken und in Hin- und
Rückr. 6 cm im Rippenmuster arbeiten, die M. abketten. Für die Blende
aus dem Halsausschnitt 96 M. mit
Nadel Nr. 3,5 herausstricken und in
Rd. im Rippenmuster arbeiten. In
2 cm Höhe die M. abketten. Die Ärmel-
und Seitennähte schließen.*

Set

*Souvenir aus der Südsee: Aus Topf-
lappen-Baumwolle gestrickt ist dieses Set die richtige Unterlage für tro-
pische Drinks. Wer im Winter etwas
Passendes zum Grog haben möchte,
kann Urlaubsfotos von der stürmi-
schen Nordsee oder schneebedeck-
ten Bergen nach dem Prinzip von
Seite 52 als Vorlage benutzen.*

Material: Baumwollgarn (Lauflänge 82 m/50 g), d. h. je 50 g in Sand, Sonnengelb, Braun, Türkis, Grün, Hellblau und Weiß sowie 1 Rundstricknadel Nr. 3,5.

Grundmuster und Flächenaufteilung: Das Schema (siehe Beilagebogen) zeigt das Maschenbild der rechten Seite., d. h. in den Rückreihen müssen die rechts gezeichneten M. und die Umschl. li., die links gezeichneten M. re. gestrickt werden.

Maschenprobe: glatt re. gestrickt (Hinr. re., Rückr. li.) ergeben 21 M. in der Breite und 33 R. in der Höhe 10 cm im Quadrat.

Anleitung: Das fertige Set ist 31 cm x 43 cm groß. Dafür insgesamt 84 M., und zwar 10 M. in Braun und 74 M. in Sand anschlagen. Dann in Hin- und Rückr. genau nach dem Schema (s. Beilagebogen) arbeiten. Es sind alle Hin- und Rückr. gezeichnet. Für die verschiedenfarbigen Flächen muß mit mehreren Knäulen gleichzeitig gearbeitet werden (teilweise auch mit mehreren Knäulen derselben Farbe), damit sich keine überlangen Spannfäden bilden. Der Arbeitsfaden wird nur dann auf der Rückreihe mitgeführt, wenn zwischendurch nur wenige M. in einer anderen Farbe gestrickt werden (z. B. bei den schmalen Stellen des Baumstammes). Bei jedem Farbwechsel in einer R. müssen die beiden Fäden auf der Rückseite miteinander verkreuzt werden, um eine feste Verbindung zu erhalten (s. Flächenaufteilung von S. 52). Nach Beenden des Schemas für die Blende zu den vorhandenen M. aus den 84 Anschlagm. je 1 M. und aus den beiden Seitenkanten je 58 M., zusätzlich an jeder Ecke 1 M. in Hellblau herausstricken und in Rd. kraus re. (1 Rd. li., 1 Rd. re. im Wechsel) arbeiten. Die 4 Eckm. in allen Rd. re. stricken. Außerdem in jeder li. Rd. vor und nach jeder Eckm. 1 Umschl. aufnehmen und diese in den re. Rd. re. verschr. abstricken. In 2 cm Blendenbreite die M. abketten. Das Set von links auf das angegebene Maß spannen und vorsichtig dämpfen.

Wickeljacke in Größe 38 und Größe 42

Ein Muster feiert Fasching: Wie Konfetti sind die eingestrickten Punkte über die Jacke verstreut. Sie sehen erst richtig lustig aus, wenn sie aus verschiedenen Materialien gearbeitet sind. Ideal zum Resteverwerten! (gleiche Fadenstärke!)
Alle Angaben für Gr. 42 stehen, sofern sie abweichen, in eckigen Klammern.

Material: Mohairwolle (Lauflänge 125 m/50 g), d. h. 250 [300 g] in Grau und je 50 g in Königsblau, Zyklam, Lila, Curry und Petrol sowie Stricknadeln Nr. 5 und 4 Knöpfe.

(weiter Seite 108)

Grundmuster: *glatt re. (Hinr. re., Rückr. li.), Punkte s. Schema.*
Maschenprobe: *14 M. in der Breite und 18 R. in der Höhe ergeben 10 cm im Quadrat.*
Rücken- und Vorderteile *werden in einem Stück ohne Schulternaht gestrickt und am rückw. Bündchen begonnen. Dafür 64 [70 M.] in Grau anschlagen und zunächst für das Bündchen 6 cm im Rippenmuster (2 M. re., 2 M. li. im Wechsel) stricken. Dann im Grundmuster weiterarbeiten. Dabei für die Weite in der 1. R. M. zunehmen, d. h. 6mal nach jeder 10. M. [11 M.] aus dem Querfaden der Vorr. 1 M. re. verschr. herausstricken. In 9 cm Gesamth. mit dem Einstricken des ersten Punktes beginnen. Dafür in einer Hinr. die 17.–21. M. [19.–23. M.] in Königsblau arbeiten. Diese 5 M. entsprechen der 1. R. des Schemas, anschließend den Punkt weiter wie gezeichnet einstricken. Damit sich auf der Rückseite keine grauen Spannfäden bilden, wird jetzt mit 3 Knäulen gleichzeitig gearbeitet. Dabei müssen bei jedem Farbwechsel in einer R. die beiden Fäden auf der Rückseite miteinander verkreuzt werden, um eine feste Verbindung zu erhalten. Alle weiteren Punkte werden im Prinzip genauso gearbeitet. Der zweite Punkt beginnt in 15 cm Gesamth. in einer Hinr. mit der 54.–58. M. [58.–62.M.] in Zyklam. Dabei muß zunächst mit 5 Knäulen gearbeitet werden, bis der königsblaue Punkt beendet ist. Der dritte Punkt beginnt in 25 cm [26 cm] Gesamth. in einer Hinr. mit der 28.–32. M. [30.–34. M.] in Lila. In 37 cm [38 cm] Gesamth. für die Armausschnitte beidseitig je 4 M. abketten.*

Der vierte Punkt beginnt in 43 cm [44 cm] Gesamth. in einer Hinr. mit der 44.–48. M. [48.–52. M] in Curry, der fünfte Punkt in 50 cm [52 cm] Gesamth. in einer Hinr. mit der 12.–16. M. [14.–18.M.] in Petrol. In 58 cm [60 cm] Gesamth. beginnt die Blende am rückw. Halsausschnitt. Dafür zunächst eine Lochr. arbeiten, d. h. bei den mittl. 26 M. [28 M.] in einer Hinr. abwechselnd 2 M. re. zus.-stricken, 1 Umschl. aufnehmen. In den folg. R. diese 26 M. [28 M.] kraus re. (Hinr. re., Rückr. re.) arbeiten, alle übrigen M. weiter im Grundmuster stricken. In 60 cm [62 cm] Gesamth. ist die Bruchlinie auf der Schulter erreicht. Hier für den rückw. Halsausschnitt die mittl. 20 M. [22 M.] abketten. Die 21 M. [23 M.] der linken Schulter stillegen, mit den übrigen 21 M. [23 M.] das rechte Vorderteil beginnen. Dabei für die Schrägung der vord. Kante in der folg. Hinr. und noch 19mal abwechselnd in jeder weiteren 4. und 6. R. vor der 3.letzten M. 1 Umschl. aufnehmen. Diese Umschl. in den Rückr. re. abstricken. Für die Blende die äußeren 3 M. weiter kraus re. arbeiten. Gleichzeitig in 74 cm [77 cm] Gesamth. in einer

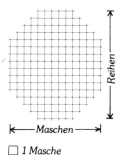

←——Maschen——→

☐ *1 Masche*

Vorderteil- und Rückenteil-Hälfte

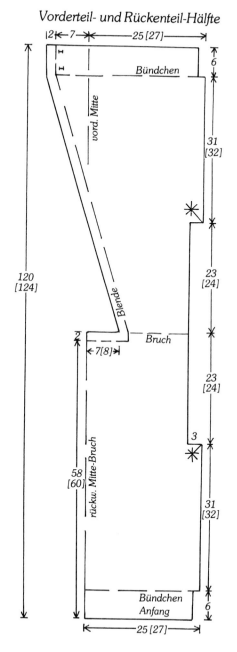

Hinr. mit der 10.–14. M. [12.–16. M.]
einen Punkt in Zyklam beginnen. In
83 cm [86 cm] Gesamth. für den Armausschnitt 4 M. dazu anschlagen.
In 99 cm [102 cm] Gesamth. in einer
Hinr. mit der 17.–21. M. [19.–23. M]
einen Punkt in Petrol beginnen. In
114 cm [118 cm] Gesamth. für das
vord. Bündchen im Rippenmuster
weiterarbeiten. Dabei in der 1. R.
3mal jede 12. und 13. M. [4mal jede
9. und 10. M.] re. bzw. li. zus.strik-
ken. Die Blendenm. weiter kraus re.
arbeiten. Gleichzeitig beidseitig je 2
Knopflöcher einarbeiten (s. Schnittschema). Dafür jeweils nach den
Blendenm. 1 Umschl. aufnehmen,
die folg. 2 M. je nach Muster re. bzw.
li. zus.stricken. In 120 cm [124 cm]
Gesamth. die M. abketten. Das linke
Vorderteil gegengleich arbeiten. Die
Punkte jedoch wie folgt anordnen:

(weiter Seite 110)

Ärmel-Hälfte

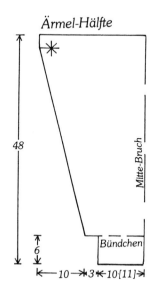

In 65 cm [68 cm] Gesamth. in einer Hinr. mit der 11.–15. M. einen Punkt in Königsblau, in 83 cm [86 cm] Gesamth. in einer Hinr. mit der 12.–16. M. einen Punkt in Curry, in 97 cm [101 cm] Gesamth. in einer Hinr. mit der 29.–33. M. einen Punkt in Lila beginnen.

Rechter Ärmel: 30 M. [32 M.] in Grau anschlagen und zunächst für das Bündchen 6 cm im Rippenmuster stricken. Dann im Grundmuster weiterarbeiten. Dabei für die Weite in der 1. R. M. zunehmen, d. h. insgesamt 8mal abwechselnd nach jeder 3. und 4. M. aus dem Querfaden der Vorr. 1 M. re. verschr. herausstricken. Anschließend in der 2. R. und noch 13mal abwechselnd in jeder folg. 4. und 6. R. beidseitig je 1 M. zunehmen, gerade weiterstricken. Gleich-zeitig die Punkte wie folgt anordnen: In 16 cm Gesamth. in einer Hinr. mit der 8.–12. M. einen Punkt in Curry, in 24 cm Gesamth. in einer Hinr. mit der 34.–38. M. einen Punkt in Königsblau, in 37 cm Gesamth. in einer Hinr. mit der 20.–24. M. einen Punkt in Lila beginnen. Den **linken Ärmel** im Prinzip genauso stricken, die Punkte jedoch wie folgt anordnen: In 17 cm Gesamth. in einer Hinr. mit der 19.–23. M. einen Punkt in Petrol, in 33 cm Gesamth. in einer Hinr. mit der 9.–13. M. einen Punkt in Lila, in 38 cm Gesamth. in einer Hinr. mit der 41.–45. M. einen Punkt in Zyklam beginnen.

Ausarbeitung: Die Seitennähte und Ärmelnähte bis * schließen. Die Ärmel * an * einnähen und die Knöpfe annähen.

Weste in Größe 36 und Größe 40

Eine Weste geht fremd: Was es sonst nur für Männer gab, sieht hier in bunter Tweedwolle ganz weiblich aus. Die Weste kann aber ebenso gut aus Angora- oder Baumwolle gestrickt werden.
Alle Angaben für Größe 40 stehen, sofern sie abweichen, in eckigen Klammern.

Material: Tweedwolle (Lauflänge 90 m/50 g), d. h. 150 g in Grau und je 100 g in Rot, Grün und Blau sowie 1 Rundstricknadel Nr. 4 und 4 Knöpfe.
Grundmuster: glatt re. (Hinr. re., Rückr. li.), Norwegermuster s. Schema I und II. Die mit li. bezeichneten R. sollen auf der rechten Seite der Arbeit links erscheinen, d. h. diese R. müssen in Hinr. li., in Rückr. re. gestrickt werden.

Maschenprobe: 21 M. in der Breite und 28 R. in der Höhe ergeben 10 cm im Quadrat.
Rücken- und Vorderteile werden zunächst ohne Blende in einem Stück gestrickt. Es wird mit der Ecke eines Vorderteiles begonnen. Dafür 3 M. in Rot anschlagen und in Hin- und Rückr. im Grundmuster nach Schema I arbeiten. Dabei in der 3. R. und weiter in jeder folg. 2. R. beidseitig 9mal je 2 M. und 1mal 1 M. [3 M.] dazu anschlagen (s. auch Schema). Es sind 45 M. [49 M.] auf der Nadel. Dieses Teil stillegen und die Ecke für das zweite Vorderteil gegengleich genauso weit stricken. Nun für das

(weiter Seite 112)

Rückenteil 90 M. [106 M.] in Rot anschlagen, beidseitig die begonnenen Vorderteile mit auf die Nadel nehmen und nach Schema II weiterarbeiten. Dabei den Rapport in Breite und Höhe stets wiederholen. In 22 cm [23 cm] Gesamthöhe (in der rückw. Mitte gemessen) beidseitig die 45 M. [49 M.] der Vorderteile auf Hilfsnadeln stillegen und zunächst das Rückenteil beenden. Dabei für die Armausschnitte beidseitig sofort 3 M. und weiter in jeder 2. R. 1mal 2 M. und 3mal 1 M. abketten, gerade weiterstricken. In 43 cm [45 cm] Gesamthöhe des Rückenteiles für den rückw. Halsausschnitt die mittl. 22 M. [30 M.] abketten und zunächst eine Schulter beenden. Dabei weiter in jeder 2. R. 1mal 3 M. und 1mal 2 M., gleichzeitig für die Schulterschrägung 3mal 7 M. [2mal 8 M.

und 1mal 9 M.] abketten. Die zweite Schulter gegengleich stricken. Nun das rechte Vorderteil in gleich vielen R. wie das Rückenteil beenden. Dabei sofort mit den Abnahmen für den vord. Halsausschnitt beginnen. Dafür in der folg. R. und noch 15mal in jeder weiteren 4. R. je 1 M. abketten. Gleichzeitig die Abnahmen für den Armausschnitt und die Schulterschrägung genau wie beim Rückenteil ausführen. Das linke Vorderteil gegengleich beenden. Zusätzlich jedoch eine Tasche wie folgt einarbeiten: In 32 cm Gesamth. (von der Spitze gemessen) für den Tascheneingriff die mittl. 16 M. auf einer Hilfsnadel stillegen. Nun zunächst für den Taschenbeutel 16 M. in Grau neu anschlagen und 6 cm glatt re. arbeiten. Dann dieses Teil anstelle der abge-

Vorderteil- und Rückenteil-Hälfte

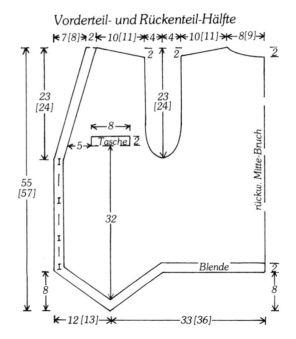

ketteten M. auf die Nadel nehmen und wie gewohnt weiterstricken.

Ausarbeitung: Die Weste von links schnittgemäß spannen und vorsichtig dämpfen. Die Schulternähte schließen. Für die Armblenden aus den Kanten jeweils 96 M. [100 M.] in Grau herausstricken und in Rd. 2 cm kraus re. (1 Rd. re., 1 Rd. li. im Wechsel) arbeiten, die M. abketten. Für die Taschenblende in Grau mit den stillgelegten M. in Hin- und Rückr. 2 cm kraus re. (Hinr. re., Rückr. re.) arbeiten, die M. abketten. Für die Blende rund um die Weste aus der Kante insgesamt 400 M. [420 M.] in Grau herausstricken und in Rd. kraus re. ar-

beiten. Dabei in jeder re. Rd. für die Ecken an folg. Stellen M. zunehmen: Am Ende der vord. Kante nach der Eckm. und an der Spitze vor und nach der Eckm. aus dem Querfaden der Vorrd. je 1 M. re. verschr. herausstricken. Für die Ecken zwischen Rückenteil und Vorderteilen in jeder re. Rd. 2 M. re. zus.stricken. Gleichzeitig in 1 cm Höhe beim rechten Vorderteil gleichmäßig verteilt 4 Knopflöcher einarbeiten (s. Schnittschema). Dafür jeweils 2 M. abketten und in der folg. Rd. wieder anschlagen. In 2 cm Höhe die M. abketten. Den Taschenbeutel von links und die Taschenblende beidseitig sorgfältig festnähen. Die Knöpfe annähen.

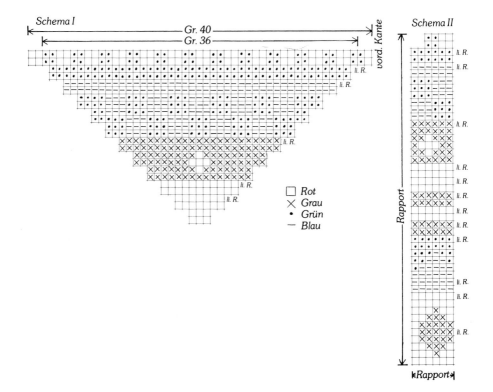

Schema I
Gr. 40
Gr. 36
vord. Kante
li. R.
li. R.
li. R.
li. R.
li. R.

Schema II
li. R.
li. R.
li. R.
li. R.
li. R.
li. R.
li. R.
li. R.
li. R.
li. R.
li. R.

Rapport

◄Rapport►

☐ Rot
✕ Grau
• Grün
— Blau

Quergestrickte Jacke in Größe 40 und Größe 44

Mohair – quergestrickt: Die Strickart ist kraus rechts, der Schnitt ist unkompliziert, gearbeitet wird in einem Stück.
Alle Angaben für Größe 44 stehen, sofern sie abweichen, in eckigen Klammern.

Material: 650 g [700 g] zyklamfarb. Mohairwolle (Lauflänge 125 m/50 g) und 1 Rundstricknadel Nr. 5.
Grundmuster: kraus re. (Hinr. re., Rückr. re.)
Maschenprobe: 14 M. in der Breite und 28 R. in der Höhe ergeben 10 cm im Quadrat.
Die **Jacke** wird in einem Stück quer gestrickt und an einer vord. Kante begonnen. Dafür 95 M. anschlagen und in Hin- und Rückr. im Grundmuster arbeiten. Für die Passenrundung während des gesamten Verlaufes der Arbeit mit verkürzten R. wie folgt stricken: Die 1. und 2. R. über alle 95 M. arbeiten, in der 3. R. die ersten 81 M. stricken, 14 M. ungestrickt auf der linken Nadel lassen, wenden und zurückstricken. Damit an den Wendestellen keine Löcher entstehen, wird stets nach dem Wenden vor dem Zurückstricken 1 Umschl. aufgenommen. Diesen strickt man später, wenn

wieder über die Stelle hinweggearbeitet wird, mit der folg. M. re. zusammen (s. Seite 73). In der 5. R. die ersten 60 M. stricken (es bleiben 35 M. ungestrickt auf der linken Nadel), wenden, 1 Umschl. aufnehmen und zurückstricken. Die 7. und 8. R. wieder über alle 95 M. arbeiten. Im Prinzip der verkürzten Reihen für die Passe fortfahren, also die 3.–8. R. stets wiederholen. In 29 cm Höhe (an der unteren Jackenkante gemessen) die Tasche einarbeiten, d. h. in der folg. R. die 11.–32. M. von außen für den Tascheneingriff abketten. Dann zunächst einen Taschenbeutel anfertigen. Dafür getrennt 28 M. neu anschlagen und in Hin- und Rückr. 15 cm im Grundmuster arbeiten. In der folg. R. die ersten 6 M. abketten, die übrigen 22 M. an Stelle der abgeketteten M. des Tascheneingriffes so auf die Nadel nehmen, daß die überstehenden 6 M. zur unteren Jackenkante liegen. Wie gewohnt weiterstricken. In 34 cm [36 cm] Gesamth. ist die seitliche Bruchlinie erreicht, und es wird mit dem Ärmel begonnen. Zunächst jedoch für das später zu strickende Rückenteil 56 M. auf einer Hilfsnadel stillegen. Zu den übrigen 39 M. (35 M. der Passe und 4 M.) für den Ärmel sofort 6 M. und weiter in jeder 2. R. 5mal 7 M. und 3mal 6 M. dazu anschlagen. Es sind 98 M. auf der Nadel. Wie gewohnt weiterstricken und stets an der

(weiter Seite 116)

Passe an den üblichen Stellen wenden. In 36 cm [38 cm] Höhe (an der unteren Ärmelkante gemessen), mit den Abnahmen beginnen, d. h. sofort 6 M. und weiter in jeder 2. R. 2mal 6 M., 5mal 7 M. und 1mal 6 M. abketten. Die Abnahmen werden also gegengleich zu den Zunahmen ausgeführt. Nun die stillgelegten M. des Vorderteiles wieder auf die Nadel nehmen und mit allen 95 M. das Rükkenteil arbeiten, bis eine Gesamthöhe von 102 cm [108 cm] (an der unteren Jackenkante gemessen) erreicht ist. Nun den zweiten Ärmel stricken. Dafür wieder 56 M. stillegen und die Arbeit fortsetzen wie beim ersten Ärmel beschrieben. Anschließend das zweite Vorderteil beenden. Dabei nach 5 cm [7 cm] mit dem Einarbeiten der Tasche beginnen. Dafür

zunächst nur mit der 11.–32. M. von außen weiterarbeiten, alle übrigen M. stillegen. Zu diesen 22 M. noch 6 M. zur unteren Jackenkante hin dazu anschlagen und für den Taschenbeutel 15 cm stricken, die M. abketten. Nun anstelle dieser M. für den Tascheneingriff 22 M. neu anschlagen und wie gewohnt weiterarbeiten. In 136 cm [144 cm] Gesamth. die M. abketten.

Ausarbeitung: Für die Blende aus dem Halsausschnitt 62 M. herausstricken und 3 cm im Grundmuster arbeiten, die M. abketten. Für die Blende aus den unteren Ärmelkanten jeweils 30 M. [32 M.] herausstricken und 3 cm im Grundmuster arbeiten, die M. abketten. Die Ärmelnähte schließen, die Taschenbeutel von links unsichtbar festnähen.

Pullover mit bunter Passe in Größe 42

Niedliches aus Norwegen: Die vielen kleinen Muster ringeln sich bei diesem Sportpullover um die Passe herum. Trotz der verschiedenen Farben geht's schnell voran – das Oberteil wird in einem Stück auf einer Rundnadel gestrickt.

Material: Wolle (Lauflänge 65 m/ 50 g), d. h. 500 g in Dunkelblau und je 50 g in Gelb, Curry, Rosé, Rot, Türkis und Grün sowie je 1 Rundstricknadel Nr. 5 und Nr. 6.
Grundmuster: glatt re. (Hinr. re., Rückr. li., in Runden nur re.), Passenmuster s. Schema.

Maschenprobe: 13,5 M. in der Breite und 19 R. in der Höhe ergeben 10 cm im Quadrat.
Rücken- und Vorderteil werden bis zum Beginn der Passe in einem Stück in Runden gestrickt. Dafür 140 M. mit Nadel Nr. 5 im Dunkelblau anschlagen, zu Rd. schließen und zunächst für das Bündchen 6 cm im Rippenmuster (2 M. re., 2 M. li. im Wechsel) stricken. Dann mit Nadel Nr. 6 im Grundmuster weiterarbei-

(weiter Seite 118)

ten. Dabei für die Weite in der 1. Rd. M. zunehmen, d. h. 12mal nach jeder 11. M. aus dem Querfaden der Vorrd. 1 M. re. verschr. herausstricken. In 40 cm Gesamthöhe mit verkürzten R. weiterarbeiten. Verkürzte R. strickt man, um vor Beginn der Passe ein höheres Rückenteil zu erhalten (im Schnittschema am Halsausschnitt zu erkennen, s. Seite 73). Die Passe kann später rundherum gleich hochgestrickt werden, und das Passenmuster wird nicht zerstört. Es wird wie folgt vorgegangen: 10 M. auf einer Hilfsnadel stillegen (diese bilden die vord. Mitte). Mit den übrigen M. insgesamt 6 Hin- und Rückr. jeweils am Ende um 10 M. verkürzt stricken, d. h. die 1. R. stricken, am Ende 10 M. ungestrickt auf der linken Nadel lassen, wenden, zurückstricken, am Ende 10 M. ungestrickt lassen, wenden, zurückstricken, am Ende insgesamt 20 M. ungestrickt lassen, wenden, zurückstricken, insgesamt 20 M. ungestrickt lassen, wenden, zurückstricken, ins-

Vorderteil- und Rückenteil-Hälfte mit Ärmel

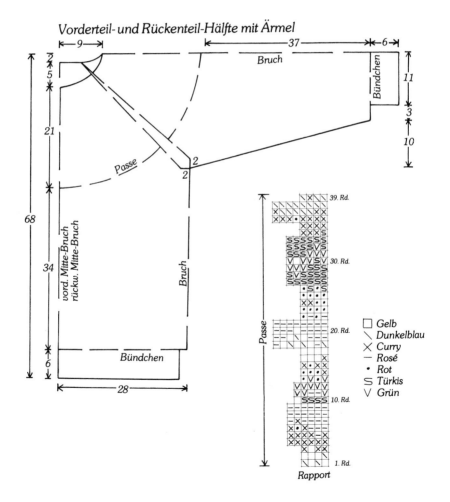

□ Gelb
\ Dunkelblau
X Curry
— Rosé
• Rot
S Türkis
V Grün

Rapport

gesamt 30 M. ungestrickt lassen, wenden, zurückstricken, insgesamt 30 M. ungestrickt lassen. Damit an den Wendestellen keine Löcher entstehen, wird nach jedem Wenden vor dem Zurückstricken ein Umschl. auf die Nadel genommen. Diesen strickt man später, wenn wieder über diese Stelle hinweggearbeitet wird, mit der folg. M. zusammen. Nach den verkürzten R. nochmals wenden und für einen Armausschnitt die ersten 6 M. auf der linken Nadel abketten. Die folg. 70 M. für das Rückenteil stricken, dann die nächsten 6 M. für den zweiten Armausschnitt abketten. Das Teil stillegen und mit einem **Ärmel** beginnen. Dafür 30 M. mit Nadel Nr. 5 in Dunkelblau anschlagen und in Hin- und Rückr. zunächst für das Bündchen 6 cm im Rippenmuster stricken. Dann mit Nadel Nr. 6 im Grundmuster weiterarbeiten. Dabei für die Weite in der 1. R. M. zunehmen, d. h. 8mal abwechselnd nach jeder 3. und 4. M. aus dem Querfaden der Vorr. 1 M. re. verschr. herausstricken. Anschließend 3mal in jeder 4. R. und noch 11mal abwechselnd in jeder 4. und 6. R. beidseitig je 1 M. zunehmen. In 43 cm Gesamthöhe beidseitig je 3 M. abketten und das Teil stillegen. Den zweiten Ärmel genauso weit str. Nun die Ärmel beidseitig zu den M. des Rückenteils mit auf die Nadel nehmen (die M. des Vorderteils weiter stillegen) und mit diesen 190 M. insgesamt 4 Hin- und Rückr., jeweils um 25 M. verkürzt, stricken: In der 1. R. 25 M. ungestrickt lassen, wenden, zurückstricken, 25 M. ungestrickt lassen, wenden, zurückstricken, insgesamt 50 M. ungestrickt lassen, wenden, zurückstricken, insgesamt 50 M. ungestrickt lassen. Gleichzeitig in den beiden Hinr.

an den rückw. Raglanlinien M. wie folgt abnehmen: Jeweils die letzten 2 M. des rechten Ärmels und des Rückenteils re. zus.stricken, jeweils beim Rückenteil und beim linken Ärmel die 1. M. abheben, die 2. M. re. stricken und die abgehobene M. darüberziehen. Nach diesen verkürzten R. die M. des Vorderteiles mit auf die Nadel nehmen und mit diesen insgesamt 252 M. in Rd. die Passe stricken. Dabei in der rückw. Mitte beginnen und nach dem Schema arbeiten. In der Runde wird der Rapport fortlaufend wiederholt, in der Höhe ist die gesamte Passe gezeichnet. Die Passe weder fester noch lockerer arbeiten, als in der Maschenprobe angegeben ist und folg. M. re. zus.stricken: In der 9. Rd. jede 6. und 7. M., in der 10. Rd. die 1. und 2. M. (215 M.), in der 13. Rd. 4mal jede 9. und 10. M., 16mal jede 8. und 9. M. und noch 3mal jede 9. und 10. M., in der 22. Rd. 4mal jede 3. und 4. M., 32mal jede 4. und 5. M. und noch 4mal jede 3. und 4. M. (152 M.), in der 26. Rd. 11mal jede 5. und 6. M., 4mal jede 4. und 5. M. und noch 11mal jede 5. und 6. M., in der 34. Rd. jede 6. und 7. M., in der 36. Rd. jede 8. und 9. M., in der 39. Rd. jede 3. und 4. M. Mit den restlichen 72 M. für die Blende mit Nadel Nr. 5 in Dunkelblau noch 2,5 cm im Rippenmuster stricken, die M. abketten.

Ausarbeitung: Den Pullover von links schnittgemäß spannen und vorsichtig dämpfen. Die Ärmel- und Armausschnittnähte schließen.

Blousonpullover für sie und ihn
in Größe 42 und Größe 46

Pullis für Partner: Die rustikale Wolle, das körnige Muster, die Lederknöpfe und der lässige Schnitt machen diesen Tweedblouson attraktiv als Damen- und als Herrenpullover. Alle Angaben für Größe 46 stehen, sofern sie abweichen, in eckigen Klammern. Damengröße 46 entspricht Herrengröße 50.

Material: 1200 g olivfarb. Tweedwolle (Lauflänge 45 m/50 g), Stricknadeln Nr. 4,5 und Nr. 5 sowie 5 Knöpfe.
Grundmuster: Maschenzahl teilbar durch 4 und 2 Randm. **1. Reihe:** re. **2. Reihe:** 1 Randm., * 2 M. li., 1 Umschl., 2 M. li. und den Umschl. über diese 2 M. ziehen, ab * fortlfd. wiederholen, 1 Randm. **3. Reihe:** re. **4. Reihe:** 1 Randm., * 1 Umschl., 2 M. li. und den Umschl. über diese 2 M. ziehen, 2 M. li., ab * fortlfd. wiederholen, 1 Randm. Die 1.–4. Reihe fortlaufend wiederholen.
Maschenprobe: 13 M. in der Breite und 18 R. in der Höhe ergeben 10 cm im Quadrat.
Rückenteil: 56 M. [60 M.] mit Nadeln Nr. 4,5 anschlagen und zunächst für das Bündchen 7 cm im Rippenmuster (2 M. re., 2 M. li. im Wechsel) stricken. Dann mit Nadeln Nr. 5 im Grundmuster weiterarbeiten. Dabei für die Weite in der 1. R. M. zunehmen, d. h. nach der 2. M. und noch 13mal nach jeder 4. M. [18mal nach jeder 4. M.] aus dem Querfaden der Vorr. 1 M. re. verschr. herausstrik-

ken. Es sind 70 M. [78 M.] auf der Nadel. In 45 cm [46 cm] Gesamth. für die Armausschnitte beidseitig je 9 M. abketten. Sofort für die Armblenden beidseitig wieder 10 M. dazu anschlagen und weiter gerade hochstricken. In 70 cm [72 cm] Gesamth. die M. abketten.
Das **Vorderteil** bis 12 cm Gesamth. genau wie das Rückenteil stricken. Dann mit dem Einarbeiten der Taschen beginnen, d. h. für die senkrechten Tascheneingriffe beidseitig die äußeren 13 M. stillegen. Mit den übrigen M. bis 30 cm Gesamth. gerade hochstricken, dann diese M. stillegen. Nun für einen Taschenbeutel getrennt 15 M. neu anschlagen und 3 cm glatt re. (Hinr. re., Rück. li.) stricken. Dieses Teil und die stillgelegten 13 M. einer Seite gemeinsam auf die Nadel nehmen (die M. des Taschenbeutels liegen am Tascheneingriff) und mit diesen 28 M. ebenfalls bis 30 cm Gesamth. arbeiten. Dabei die M. des Taschenbeutels weiter glatt re., die übrigen M. im Grundmuster stricken. Die M. des Taschenbeutels abketten, die übrigen M. stillegen. Die andere Seite mit einem Taschenbeutel gegengleich bis zur gleichen Höhe stricken. Dann wieder mit allen 70 M. [78 M.] weiterarbeiten. In 40 cm [42 cm] Gesamth. für den Verschluß die mittl. 6 M. abketten und zunächst eine Schulter beenden. In 45 cm [46 cm] Gesamth. für den Armausschnitt 9 M. abketten, sofort für die Armblende wieder 10 M. anschlagen und gerade weiterstricken. In 62 cm [64 cm] Gesamth. für den vord. Halsaus-

(weiter Seite 122)

schnitt 3 M. und weiter in jeder 2. R.
1 mal 2 M. und 4 mal 1 M., in 70 cm
[72 cm] Gesamth. die übrigen 24 M.
[28 M.] abketten. Die zweite Schulter
gegengleich beenden.
Ärmel: 24 M. [28 M.] mit Nadel Nr.
4,5 anschlagen und zunächst für das
Bündchen 7 cm im Rippenmuster
stricken. Dann mit Nadeln Nr. 5 im
Grundmuster weiterarbeiten. Dabei
für die Weite in der 1. R. M. zunehmen, d. h. nach der 1. M. [3. M.] und
noch 11 mal nach jeder weiteren 2.
M. aus dem Querfaden der Vorr. 1 M.
re. verschr. herausstricken. Außer-

dem beidseitig je 1 Randm. dazu anschlagen. Anschließend insgesamt
12 mal abwechselnd in jeder 4. und
6. R. beidseitig je 1 M. zunehmen. In
43 cm Gesamth. (für den Herrenpullover in 47 cm Gesamth.) mit den Abnahmen für die Armkugel beginnen.
Dafür beidseitig je 3 M. und weiter in
jeder 2. R. 8 mal 2 M., 1 mal 3 M., 1 mal
4 M., dann die restl. 8 M. [12 M.] abketten. Den zweiten Ärmel genauso
stricken.
Ausarbeitung: Die Seiten- und
Schulternähte schließen. Die Ärmel-
blenden an der Bruchlinie nach in-

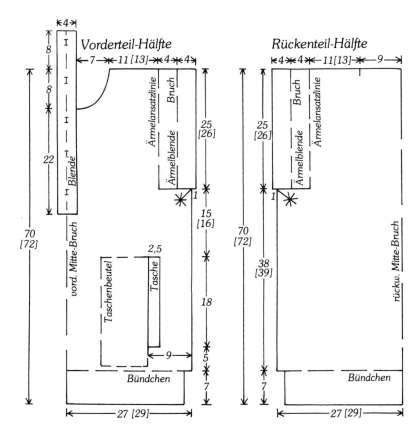

einarbeiten. **Für den Herrenpullover** werden die Knopflöcher in die linke Blende eingearbeitet. Dafür jeweils 2 M. abketten und in der folg. R. wieder anschlagen. In 4 cm Höhe die M. abketten. Für die Taschenblenden aus den vord. Tascheneingriffen jeweils 22 M. mit Nadeln Nr. 4,5 herausstricken und 2,5 cm im Rippenmuster arbeiten, die M. abketten. Die Taschenbeutel von links festnähen. Die schmalen Kanten der Blenden sorgfältig am Vorderteil festnähen. Die Knöpfe annähen.

Ärmel-Hälfte

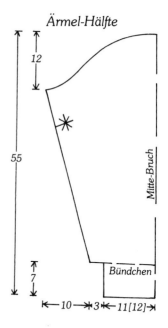

12

55

7

Mitte-Bruch

Bündchen

←—10—→*3*←—11[12]—→

nen biegen und von links an der Ärmeleinsatzkante festnähen. Die Ärmelnähte bis ✳ schließen. Die Ärmel einnähen, dabei an der Ärmeleinsatzkante die Blenden mitfassen. Für den Kragen aus dem Halsausschnitt 66 M. mit Nadeln Nr. 4,5 herausstricken und 16 cm im Rippenmuster arbeiten, die M. abketten. Für die Verschlußblenden aus den Kanten (einschließlich Kragen) jeweils 44 M. mit Nadeln Nr. 4,5 herausstricken und im Rippenmuster arbeiten. Dabei in die rechte Blende in 2 cm Höhe gleichmäßig verteilt 5 Knopflöcher

Bettwäsche

Zum Schlafen allein zu schade: Die weiße Baumwoll-Bettwäsche ist so mit gestrickten Spitzen verschönt, daß sie auch am Tage die Paraderolle im Schlafzimmer spielt. Wer's bunter liebt, kann auch pastellfarbene Spitzen auf zarte Blümchenstoffe nähen.

Überschlaglaken mit Spitzenborte

Material: 150 g weißes Baumwollgarn (Lauflänge 160 m/50 g), Stricknadeln Nr. 2,5; 2,30 m weißer Baumwollstoff, 140 cm breit.
Grundmuster: s. Schema.
Anleitung: Die Borte ist 8,5 cm breit. Dafür 20 M. anschlagen und nach dem Schema arbeiten. Es sind nur die Hinr. gezeichnet, in den Rückr. alle M. und Umschl. li. stricken. Den Rapport so oft wiederholen, bis das gewünschte Maß erreicht ist. Die M. ab-

ketten. Die Spitzenborte von links sorgfältig spannen und dämpfen.
Nähen: Die Stoffbahn rundherum 2 cm breit umstepppen. An einer schmalen Seite die Borte knappkantig und steppfußbreit daneben aufsteppen.

Kissen mit Spitzenborten
Material: 100 g weißes Baumwollgarn (Lauflänge 160 m/50 g), Stricknadeln Nr. 2,5; 1,30 m weißer Baumwollstoff, 80 cm breit sowie 2 Wäscheknöpfe.
Grundmuster: s. Schema.
Noppe: 3 M. re. in die betr. M. strikken, dabei 1mal von vorne, 1mal von hinten und 1mal von vorne in die M. einstechen. Über diese 3 M. 2 R. glatt re. (Rückr. li., Hinr. re.) arbeiten, dann die 2. M., anschließend die 1. M. über die 3. M. ziehen.
Anleitung: Die Borte ist 9 cm breit. Dafür 24 M. anschlagen (22 M. und

(weiter Seite 126)

Spitzenborte für das Überschlaglaken

23. R.
21. R.
19. R.
17. R.
15. R.
13. R.
11. R.
9. R.
7. R.
5. R.
3. R.
1. R.

◁—— Rapport ——▷

☐ re. M.
U Umschl.
╱ 2 M. re. zus.stricken
╲ 1 M. abheben, 1 M. re. und die abgeh. M. darüberziehen.
⋀ 3 M. zus.stricken (1 M. abheben, 2 M. re. zus.stricken und die abgeh. M. darüberziehen)
⊆ 1 M. re. verschränkt stricken
⋉ 2 M. abketten (die 1. M. abheben, die 2. M. re. str. und die 1. M. darüberziehen, die 3. M. re. str. und die 2. M. darüberziehen)

dazu an jeder Seite eine Randm.)
und nach dem Schema arbeiten. Die
Randm. sind nicht im Schema eingezeichnet und werden immer re. gestrickt. Den Rapport bis 52 cm Höhe
stets wiederholen, die M. abketten.
Die zweite Borte genauso stricken.
Die Borten von links sorgfältig spannen und dämpfen.
Zuschneiden: Das fertige Kissen ist
50 cm x 70 cm groß. Nach diesen
Maßen einen Papierschnitt anfertigen. Den Schnitt auf den Stoff legen
und für das vord. Teil 1mal mit Nahtzugabe zuschneiden. Für den Verschluß im rückw. Kissenteil den Papierschnitt 14 cm von der schmalen
Kante gerade durchschneiden. Diese
beiden Teile getrennt mit Nahtzugabe zuschneiden, und außerdem für
den Verschluß an der Schnittkante
des großen Teiles 4 cm, an der
Schnittkante des kleinen Teiles 7 cm
zugeben.
Nähen: Den Saum der Verschlußkanten jeweils 1 cm und nochmals 3
cm nach innen bügeln und feststeppen. Den Verschluß entspr. übereinanderlegen und beidseitig etwa 6 cm
von der äußeren Schnittkante zusammensteppen. Die Borten 13 cm

vom äußeren Rand sorgfältig auf das
Vorderteil steppen. Den Stoff darun-
ter abschneiden, dabei Nahtzugabe
stehenlassen. Die Nähte versäubern
und zur Stoffseite umbügeln. Die beiden Kissenteile miteinander verstürzen. In den Verschluß 2 Knopflöcher
arbeiten und die Knöpfe annähen.

Rundes Kissen
Material: 50 g weißes Baumwollgarn (Lauflänge 160 m/50 g), 1 Nadelspiel Nr. 2,5; 0,45 m weißer
Baumwollstoff, 140 cm breit und 2
Wäscheknöpfe.
Grundmuster: s. Schema.
Maschenprobe: glatt re. (Hinr. re.,
Rückr. li.) ergeben 26 M. in der Breite
und 36 R. in der Höhe 10 cm im
Quadrat.
Anleitung: Das Strickstück hat
einen Durchmesser von ca. 22 cm und
wird in der Mitte begonnen. Es wird
nur mit 4 Nadeln gearbeitet. Insgesamt 12 M. (4 M. je Nadel) anschlagen, zur Runde schließen und nach
dem Schema arbeiten. Der Rapport
wird in der Rd. 6mal ausgeführt, in
der Höhe (38 Rd.) ist das gesamte
Muster gezeichnet. In der 39. Rd. die
M. abketten. Den Anfangsfaden
durch die Anschlagm. ziehen und
das Loch zunähen. Das Strickstück
von links sorgfältig spannen und
dämpfen.
Zuschneiden: Das fertige Kissen
hat einen Durchmesser von 38 cm.
Nach diesem Maß einen kreisrunden
Papierschnitt anfertigen. Den Schnitt
auf den Stoff legen und für das vord.
Teil 1mal mit Nahtzugabe zuschneiden. Für den Verschluß im rückw.
Kissenteil den Papierschnitt 14 cm
vom Rand gerade durchschneiden.
Diese beiden Teile getrennt mit Naht-

Spitzenborte für das Kissen

Zeichenerklärung Seite 127

zugabe zuschneiden und außerdem für den Verschluß an der Schnittkante des großen Teiles 4 cm, an der Schnittkante des kleinen Teiles 7 cm zugeben. Dabei an den Seiten die Rundung berücksichtigen.
Nähen: Den Saum der Verschlußkanten jeweils 1 cm und nochmals 3 cm nach innen bügeln und feststeppen. Den Verschluß entspr. übereinanderlegen und beidseitig etwa 6 cm von der äußeren Schnittkante zusammensteppen. Das Strickstück mit unsichtbaren Stichen auf die Mitte des Vorderteiles nähen. Die beiden Kissenteile miteinander verstürzen. In die Verschlußblende 2 Knopflöcher arbeiten und die Knöpfe annähen.

Gestricktes Kissen
Material: *200 g weißes Baumwollgarn (Lauflänge 170 m/50 g), 1 Nadelspiel und 1 Rundstricknadel Nr. 3 sowie 1 Häkelnadel Nr. 2.*
Grundmuster: *s. Schema.*
Blattmuster: 1. Runde: 1 Umschl., 1 M. re. (im Schema die gezeichnete Masche), 1 Umschl., **2. und jede weitere gerade Runde:** alle M. und Umschl. re. **3. Runde:** 1 M. re., 1 Umschl., 1 M. re., 1 Umschl., 1 M. re. **5. Runde:** 2 M. re., 1 Umschl., 1 M. re., 1 Umschl., 2 M. re. **7. Runde:** 3 M. re., 1 Umschl., 1 M. re., 1 Umschl., 3 M. re. **9. Runde:** 4 M. re., 1 Umschl., 1 M. re., 1 Umschl., 4 M. re. **11. Runde:** 5 M. re., 1 Umschl., 1 M. re., 1 Umschl., 5 M. re. **13. Runde:** 6

(weiter Seite 128)

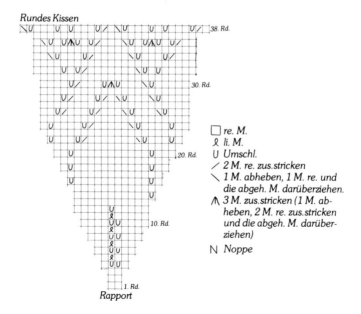

Rundes Kissen

38. Rd.

30. Rd.

20. Rd.

10. Rd.

1. Rd.

Rapport

☐ re. M.
ℓ li. M.
U Umschl.
╱ 2 M. re. zus.stricken
╲ 1 M. abheben, 1 M. re. und die abgeh. M. darüberziehen.
⋀ 3 M. zus.stricken (1 M. abheben, 2 M. re. zus.stricken und die abgeh. M. darüberziehen)
N Noppe

M. re., 1 Umschl., 1 M. re., 1 Umschl., 6 M. re. **15. Runde:** 1 M. abheben, 1 M. re. und die abgeh. M. darüberziehen, 11 M. re., 2 M. re. zus.stricken. **17. Runde:** 1 M. abheben, 1 M. re. und die abgeh. M. darüberziehen, 9 M. re., 2 M. re. zus.-stricken. **19. Runde:** 1 M. abheben, 1 M. re. und die abgeh. M. darüberziehen, 7 M. re., 2 M. re. zus.stricken. **21. Runde:** 1 M. abheben, 1 M. re.

und die abgeh. M. darüberziehen, 5 M. re., 2 M. re. zus.stricken. **23. Runde:** 1 M. abheben, 1 M. re. und die abgeh. M. darüberziehen, 3 M. re., 2 M. re. zus.stricken. **25. Runde:** 1 M. abheben, 1 M. re. und die abgeh. M. darüberziehen, 1 M. re., 2 M. re. zus.-stricken. **27. Runde:** 1 M. abheben, 2 M. re. zus.stricken und die abgeh. M. darüberziehen.

Gestricktes Kissen

Das Schema zeigt nur die ungeraden Runden!

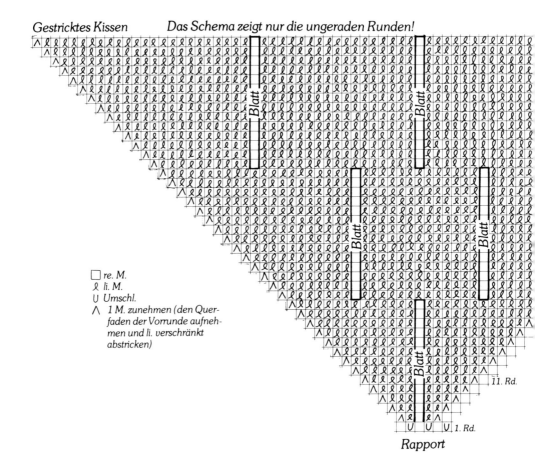

□ re. M.
ℓ li. M.
U Umschl.
∧ 1 M. zunehmen (den Querfaden der Vorrunde aufnehmen und li. verschränkt abstricken)

11. Rd.

1. Rd.

Rapport

Maschenprobe: *glatt re. (Hinr. re., Rückr. li.) ergeben 28 M. in der Breite und 37 R. in der Höhe 10 cm im Quadrat.*

Anleitung: *Das Kissen ist ca. 43 cm x 43 cm groß. Vorderteil und Rückenteil werden getrennt gestrickt und jeweils in der Mitte begonnen. Für ein Teil 12 M. (3 M. je Nadel) anschlagen und in Runden nach dem Schema arbeiten. Der gezeichnete Rapport wird*

insgesamt 4mal ausgeführt, d. h. 1 Rapport je Nadel. In der 2. Rd. alle M. und Umschl. re. stricken. In allen weiteren geraden Rd. die M. stricken wie sie erscheinen, re. M. und Umschl. re., li. M. li. Das Blattmuster wie vordem beschrieben ausführen. Mit zunehmender Maschenzahl mit der Rundstricknadel weiterarbeiten. Nach der 84. Rd. die M. abketten. Den Anfangsfaden durch die Anschlm. ziehen und das Loch zusammenziehen. Das zweite Teil genauso stricken. Beide Teile links auf links legen und mit fe. M. zusammenhäkeln, dabei für das Kissen einen entspr. großen Schlitz offenlassen und nur am Vorderteil weiterhäkeln. Über diese fe. M. noch 1 Rd. wie folgt arbeiten: 1 fe. M., ∗ 1 Picot (3 Lftm., auf die 1. dieser 3 Lftm. 1 fe. M.), 2 Lftm., dabei 2 M. der Vorrd. übergehen, auf die folg. M. 1 fe. M., ab ∗ stets wiederholen.

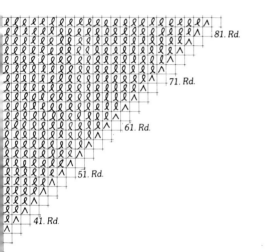

81. Rd.

71. Rd.

61. Rd.

51. Rd.

41. Rd.

Rd.

Rhombenpullover in Größe 36

Großzügig plazierte Löcher machen die dicke Sportwolle durchlässig, ohne allzu tiefe Einblicke zu gestatten. Mit dem kleinen Kelchkragen ist dieser Pullover ein Begleiter für alle Jahreszeiten.

Material: *600 g puderfarb. Wolle (Lauflänge 75 m/50 g) sowie je 1 Rundstricknadel Nr. 4,5 und Nr. 5.*
Grundmuster: *Lochmuster, s. auch Schema. Maschenzahl teilbar durch 10. Das Schema zeigt nur die Hinreihen bzw. die ungeraden Runden.*
1. Reihe/Runde: *∗ 1 M. re., 1 Umschl., 3 M. re., 1 M. abheben, 2 M. re. zus.stricken und die abgehobene M. darüberziehen, 3 M. re., 1 Umschl., ab ∗ fortlfd. wiederholen.* **2. und jede weitere Rückreihe:** *alle M. und Umschl. li.*
(2. und jede weitere gerade Runde: *alle M. und Umschl. re.)*
3. Reihe/Runde: *∗ 2 M. re., 1 Umschl., 2 M. re., 1 M. abheben, 2 M. re. zus.stricken und die abgehobene M. darüberziehen, 2 M. re., 1 Umschl., 1 M. re., ab ∗ fortlfd. wiederholen.*
5. Reihe/Runde: *∗ 3 M. re., 1 Umschl., 1 M. re., 1 M. abheben, 2 M. re. zus.stricken und die abgehobene M. darüberziehen, 1 M. re., 1 Umschl., 2 M. re., ab ∗ fortlfd. wiederholen.* **7. Rei-**
he/Runde: *∗ 4 M. re., 1 Umschl., 1 M. abheben, 2 M. re. zus.stricken und die abgehobene M. darüberziehen, 1 Umschl., 3 M. re., ab ∗ fortlfd. wiederholen.* **9. Reihe/Runde:** *∗ 1 M. abheben, 2 M. re. zus.stricken und die abgehobene M. darüberziehen, 3 M. re., 1 Umschl., 1 M. re., 1 Umschl., 3 M. re., ab ∗ fortlfd. wiederholen.*
11. Reihe/Runde: *∗ 1 M. abheben, 2 M. re. zus.stricken und die abgehobene M. darüberziehen, 2 M. re., 1 Umschl., 3 M. re., 1 Umschl., 2 M. re., ab ∗ fortlfd. wiederholen.* **13. Reihe/Runde:** *∗ 1 M. abheben, 2 M. re. zus.stricken und die abgehobene M. darüberziehen, 1 M. re., 1 Umschl., 5 M. re., 1 Umschl., 1 M. re., ab ∗ fortlfd. wiederholen.* **15. Reihe/Runde:** *∗ 1 M. abheben, 2 M. re. zus.stricken und die abgehobene M. darüberziehen, 1 Umschl., 7 M. re., 1 Umschl., ab ∗ fortlfd. wiederholen. Die 1.–16. Reihe/Runde fortlaufend wiederholen.*
Maschenprobe: *15,5 M. in der Breite und 21 R. in der Höhe ergeben 10 cm im Quadrat.* *(weiter Seite 132)*

Rücken- und Vorderteil werden bis zu den Armausschnitten in einem Stück in Runden gestrickt. Dafür 144 M. mit Nadel Nr. 4,5 anschlagen, zur Rd. schließen und zunächst für das Bündchen 5 cm im Rippenmuster (2 M. re., 2 M. li. im Wechsel) stricken. Dann mit Nadel Nr. 5 im Grundmuster weiterarbeiten und zuerst 1 Rd. re. str. Dabei für die Weite 6 M. zunehmen, d. h. nach jeder 24. M. aus dem Querfaden der Vorrd. 1 M. re. verschr. herausstricken. Nun mit dem Muster beginnen. Der Rapport wird in der Rd. 15mal, in der Höhe insgesamt 7mal ausgeführt. In jeder 9. Musterrd. versetzt sich das Muster.

Damit es sich in der Höhe exakt fortsetzt, muß bereits die letzte M. der 8. Rd. abgehoben werden, dann die ersten 2 M. der 9. Rd. re. zus.stricken und die abgehobene M. darüberziehen. Anschließend wie beschrieben fortfahren. In 34 cm Gesamth. die Arbeit für Rücken- und Vorderteil in zwei gleiche Hälften teilen, d. h. für das Vorderteil 75 M. auf einer Hilfsnadel stillegen (die M. von der vord. Mitte aus zählen, s. Schema). Mit den übrigen 75 M. in Hin- und Rückr. zunächst das Rückenteil weiter gerade hochstricken. Dabei beidseitig die äußeren 2 M. als Randm. stricken, also nicht in das Muster einbeziehen. In

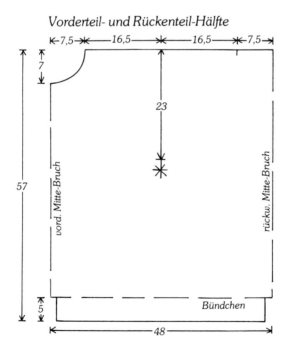

Vorderteil- und Rückenteil-Hälfte

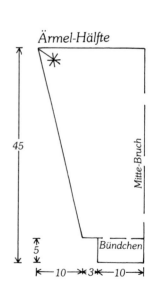

Ärmel-Hälfte

den Hinr. dürfen nur so viele M. durch Zusammenstricken wegfallen, wie gleichzeitig Umschl. aufgenommen werden, d. h. teilweise strickt man jetzt beidseitig beim äußeren Rapport nur 2 M. zusammen (1 M. abheben, 1 M. re. und die abgehobene M. darüberziehen). In 57 cm Gesamth. die M. abketten. Das Vorderteil bis 50 cm Gesamth. genau wie das Rückenteil stricken. Dann für den vord. Halsausschnitt die mittl. 11 M. abketten und zunächst eine Schulter beenden. Dabei weiter in jeder 2. R. 2mal 2 M. und 2mal 1 M., in 57 cm Gesamth. die übrigen 26 M. abketten. Die zweite Schulter gegengleich beenden.

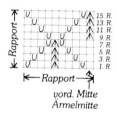

←— Rapport —→
vord. Mitte
Ärmelmitte

15. R.
13. R.
11. R.
9. R.
7. R.
5. R.
3. R.
1. R.

☐ re. M.
∪ Umschl.
⋀ 3 M. zus.stricken (1 M. abheben, 2 M. re. zus.stricken und die abgeh. M. darüberziehen)

Ärmel: 34 M. mit Nadel Nr. 4,5 anschlagen und in Hin- und Rückr. zunächst für das Bündchen 5 cm im Rippenmuster stricken. Dann 1 R. li. arbeiten (Rückr.). Dabei für die Weite M. zunehmen, d. h. 7mal nach jeder 4. M. aus dem Querfaden der Vorr. 1 M. li. verschr. herausstricken. Anschließend mit Nadel Nr. 5 im Grundmuster weiterarbeiten. Das Muster von der Ärmelmitte aus einrichten (s. Schema). Außerdem insgesamt 15mal abwechselnd in jeder 4. und 6. R. beidseitig je 1 M. zunehmen. Dabei darauf achten, daß nicht mehr M. zus.gestrickt als Umschl. aufgenommen wurden und umgekehrt. In 45 cm Gesamth. die M. abketten. Den zweiten Ärmel genauso stricken. **Ausarbeitung:** Die Schulter- und Ärmelnähte schließen, die Ärmel einnähen. Für den Kelchkragen aus dem Halsausschnitt 74 M. mit Nadel Nr. 4,5 herausstricken und in Rd. 1 M. re., 1 M. li. im Wechsel arbeiten. In 4 cm Höhe vor jeder re. M. aus dem Querfaden der Vorrd. 1 M. li. verschr. herausstricken. Man arbeitet jetzt 1 M. re., 2 M. li. im Wechsel. In 6 cm Höhe nach jeder re. M. aus dem Querfaden der Vorrd. 1 M. re. verschr. herausstricken. Man arbeitet jetzt 2 M. re., 2 M. li. im Wechsel. In 8 cm Höhe die M. abketten.

Kleine Decke

Ein Quadrat ganz kuschelig: Dieses
superweiche Plaid aus Mohair wärmt
je nach Bedarf Knie oder Schultern

Material: Mohairwolle (Lauflänge 100 m/20 g), d. h. je 20 g in Rehbraun, Weinrot, Altrosa, Maisgelb, Rot, Zyklam, Aubergine, Türkis, Königsblau, Lindgrün, Russischgrün und Petrol sowie 1 lange Rundstricknadel Nr. 4.
Grundmuster: glatt re. (Hinr. re., Rückr. li.)
Farbfolge: * je 18 R. in Rehbraun, Weinrot, Altrosa, Maisgelb, Rot, Zyklam, Aubergine, Türkis, Königsblau, Lindgrün und Russischgrün, ab * 1mal wiederholen, dann noch je 18 R. in Rehbraun und Weinrot.
Maschenprobe: 17 M. in der Breite und 28 R. in der Höhe ergeben 10 cm im Quadrat.
Die fertige **Decke** ist ohne Blende ca. 106 cm x 106 cm groß. Sie wird schräg gestrickt und an einer Ecke begonnen. Dafür 3 M. in Rehbraun anschlagen und in Hin- und Rückr. im Grundmuster in der angegebenen Farbfolge arbeiten. Dabei sofort mit den Zunahmen für die quadratische Form beginnen, d. h. in jeder Rückr. nach der 1. M. und vor der letzten M. 1 Umschl. aufnehmen. In den Hinr. diese Umschl. re. verschr. abstricken. Zusätzlich insgesamt

19mal in jeder 5. Hinr. (also in jeder 10. R.) beidseitig je 1 M. dazu anschlagen. Nach dem 12. Streifen (der 2. Streifen in Rehbraun) ist die Mitte erreicht, und es sind 257 M. auf der Nadel. Nun die Decke gegengleich beenden, d. h. in jeder Hinr. die 1. M. abheben, die 2. M. stricken und die abgehobene M. darüberziehen, die letzten 2 M. re. zusammenstricken. Außerdem insgesamt 19mal in jeder 5. Hinr. beidseitig je 1 M. zusätzlich abnehmen, also jeweils die 1. M. abheben, 2 M. re. zusammenstricken, die abgehobene M. darüberziehen, die letzten 3 M. der Reihe re. zusammenstricken. Die Decke endet mit einem weinroten Streifen. Die letzten 3 M. gemeinsam abketten. Für die Blende rund um die Decke insgesamt 600 M. (150 M. je Kante) in Petrol herausstricken und in Rd. kraus re. (1 Rd. re., 1 Rd. li. im Wechsel) arbeiten. Dabei an den 4 Ecken jeweils die Eckm. in jeder Rd. re. stricken. Außerdem in jeder li. Rd. jeweils vor und nach jeder Eckm. 1 Umschl. aufnehmen, in den re. Rd. diese Umschl. re. verschr. abstricken. In 3 cm Blendenhöhe die M. abketten.

Glitzeroberteil in Größe 36 und Größe 40

Ein Glanzstück für festliche Stunden: als Blickfang auf Sommerfesten oder als Glitzereffekt unter schlichten Jakken. Das ausgefallene Material gibt es in vielen Farben.
Für den Strand eignet sich dieses Oberteil, wenn es aus dünner Baumwolle gestrickt ist – einfarbig oder kunterbunt geringelt.

Alle Angaben für Größe 40 stehen, sofern sie abweichen, in eckigen Klammern.

Material: 100 g blaues Lurexgarn (Lauflänge 110 m/20 g) und 1 kurze Rundstricknadel Nr. 2,5.
Grundmuster: glatt re. (Hinr. re., Rückr. li., in Runden nur re.)

(weiter Seite 138)

Maschenprobe: *29 M. in der Breite und 38 R. in der Höhe ergeben 10 cm im Quadrat.*

Das **Oberteil** *wird ganz ohne Naht von oben nach unten gestrickt und mit einem Träger begonnen. Dafür 4 M. anschlagen und in Hin- und Rückr. 60 cm kraus re. (Hinr. re., Rückr. re.) arbeiten. Dann für eine Spitze zunächst kraus re. wie folgt weiterarbeiten:* ✱ *in der nächsten Rückr. nach der 1. M. und vor der letzten M. 1 Umschl. aufnehmen, in der folg. Hinr. diese Umschl. re.*

verschr. abstricken. Diesen Vorgang ab ✱ *noch 1mal wiederholen. Es sind 8 M. auf der Nadel. In der nächstfolg. Hinr. nach der 4. M. 1 Umschl. aufnehmen und diesen in der folg. Rückr. li. stricken. Nun weiter insgesamt 12mal in jeder weiteren Hinr. stets nach der 4. M. und vor der 4. letzten M. 1 Umschl. aufnehmen. Für die Blende nur noch beidseitig die äußeren 4 M. kraus re. stricken, alle übrigen M. und Umschl. im Grundmuster arbeiten. Es sind 33 M. auf der Nadel. Dieses Teil stillegen und den 2. Träger mit der anderen*

Vorderteil- und Rückenteil-Hälfte

Spitze genauso weit stricken. Jetzt für das Rückenteil 138 M. [148 M.] anschlagen, beidseitig je eine Spitze mit auf die Nadel nehmen und in Hin- und Rückr. weiterarbeiten. Das Teil bleibt also in der vord. Mitte noch offen. Dabei die neu angeschlagenen M. für die Blende zunächst kraus re. stricken. Bei den übrigen M. wie gewohnt fortfahren, d. h. in den folg. 2 Hinr. an den üblichen 4 Stellen Umschl. aufnehmen. In weiteren 2 Hinr. nur noch beidseitig an den äußeren Zunahmestellen (also der späteren vord. Mitte) Umschl. aufnehmen und beidseitig die äußeren 4 M. kraus re. stricken. Gleichzeitig jetzt alle übrigen M. im Grundmuster arbeiten. Es sind 216 M. [226 M.] auf der Nadel. Nun die Arbeit in der vord. Mitte schließen und in Rd. wie folgt

weiterarbeiten: In der 1. Rd. in der vord. Mitte 2 M. zus.stricken, so daß noch 7 Blendenm. bleiben. Sie werden weiter kraus re. gearbeitet. In jeder folg. Rd., in der diese Blendenm. re. gestrickt werden, die mittl. M. abheben, die M. davor und die folg. M. re. zus.stricken und die abgehobene M. darüberziehen. Gleichzeitig weiter an den üblichen 2 Stellen Umschl. aufnehmen, bis nur noch die mittl. Blendenm. übrig ist. Dann mit allen M. im Grundmuster weiterarbeiten. In 35 cm Gesamth. (an der rückw. Mitte gemessen) für die untere Blende kraus re. weiterarbeiten. In 37 cm Gesamth. die M. abketten.

Trachtenjacke in Größe 40 mit Strümpfen

Schöne Grüße aus Tirol: Ob zu Dirndl oder Blue Jeans – ein Prachtstück ist diese Jacke immer. Die üppige Noppenpasse wird eingestrickt, die Blüten sind zum Schluß aufgestickt. Die roten Blätter sehen auch in Blau oder Violett hübsch aus. Die Kniestrümpfe mit plastischem Zopfmuster können Sie als Ergänzung gleich dazustricken.

Jacke
Material: 900 g naturfarb. Landwolle (Lauflänge 183 m/100 g), 1 Rundstricknadel Nr. 4. Für die Stikkerei Stickwolle , d. h. je 3 Docken in Olivgrün und Zyklam und je 2 Docken in Rot, Lachs und Violett; 1 Häkelnadel Nr. 3 sowie 8 herzförmige rote Knöpfe.
Grundmuster: Falsches Patentmuster, Maschenzahl teilbar durch 4 und 1 M. **Hinreihen:** 2 M. re., ∗ 1 M. li., 3 M. re., ab ∗ fortlfd. wiederholen, 1 M. li., 2 M. re. **Rückreihen:** ∗ 1 M. li., 3 M. re., ab ∗ fortlfd. wiederholen, 1 M. li. **Passenmuster s. Schema.**
Noppe: 4 M. re. in die betreffende M. stricken. Dabei abwechselnd 1 mal von vorne 1 mal von hinten in die M. einstechen. Über diese 4 M. 4 R. glatt re. (Rückr. li., Hinr. re.) arbeiten, dann mit der linken Nadel nacheinander die ersten M. über die letzte M. ziehen, wobei mit der nächstliegenden begonnen wird, also zuerst die 3. M., dann die 2. M., zuletzt die 1. M. über die 4. M. ziehen.
Maschenprobe: 20 M. in der Breite und 30 R. in der Höhe ergeben 10 cm im Quadrat.

Rücken- und Vorderteile werden bis zu den Armausschnitten in einem Stück gestrickt. Dafür 215 M. anschlagen und in Hin- und Rückr. arbeiten. Für die vord. Blenden beidseitig die äußeren 5 M. kraus re. (Hinr. re., Rückr. re.), alle übrigen M. im Grundmuster stricken. Dabei in die rechte Blende Knopflöcher einarbeiten. Dafür in der 5. R. und noch 7 mal in jeder weiteren 20. R. jeweils nach der 2. M. 1 Umschl. aufnehmen und die 3. und 4. M. re. zus. stricken. Gleichzeitig in 23 cm Gesamth. mit der Passe nach dem Schema beginnen: Man strickt in einer Hinr. in die 8. M., in die 108. M. und in die 8. letzte M. je 1 Noppe und verbreitert dann die Passe in der rückw. Mitte nach beiden Seiten wie gezeichnet (bei den Vorderteilen entsprechend nach einer Seite) und fährt in dem begonnenen Rhythmus fort, bis alle M. im Passenmuster gestrickt werden. Die Maschen zwischen den Noppen werden li. gestrickt. Das Schema zeigt das Maschenbild der rechten Seite, d. h. in den Rückr. müssen die li. gezeichneten M. re. gestrickt werden. Bei den Vorderteilen die Noppen stets nur bis zur 8. M. von außen anordnen. Gleichzeitig in 37 cm Gesamth. die Arbeit in Rücken- und Vorderteile teilen. Dafür beidseitig die äußeren 55 M. auf Hilfsnadeln stillegen und mit den mittl. 105 M. zunächst das Rükkenteil beenden. Dabei für die Armausschnitte beidseitig je 3 M. und

(weiter Seite 142)

weiter in jeder 2. R. 1 mal 3 M., 1 mal 2
M. und 2 mal 1 M. abketten, gerade
weiterstricken. In 58 cm Gesamth. für
den rückw. Halsausschnitt die mittl.
25 M. abketten und zunächst eine
Schulter beenden. Dabei weiter in jeder 2. R. 1 mal 3 M. und 1 mal 2 M.,
gleichzeitig für die Schulterschrägung 1 mal 9 M. und 2 mal 8 M. abketten. Die zweite Schulter gegengleich beenden. Nun an einem Vorderteil weiterstricken. Die Abnahmen
für den Armausschnitt und die
Schulterschrägung genau wie beim
Rückenteil ausführen. Gleichzeitig in
52 cm Gesamth. die 5 Blendenm. auf
einer Sicherheitsnadel stillegen und

für den vord. Halsausschnitt die folg.
6 M. und weiter in jeder 2. R. 1 mal 3
M., 2 mal 2 M. und 2 mal 1 M. abketten. Das zweite Vorderteil gegengleich beenden.
Ärmel: 49 M. anschlagen und in
Hin- und Rückr. im Grundmuster arbeiten. Dabei für die Weite insgesamt
16 mal abwechselnd in jeder 6. und
8. R. beidseitig je 1 M. zunehmen.
Außerdem in 36 cm Gesamth. bei der
mittl. M. mit dem Noppenmuster beginnen und nach dem Schema genau wie bei der Passe des Rückenteiles arbeiten, bis alle M. im Passenmuster gestrickt werden. Gleichzeitig in
40 cm Gesamth. mit den Abnahmen

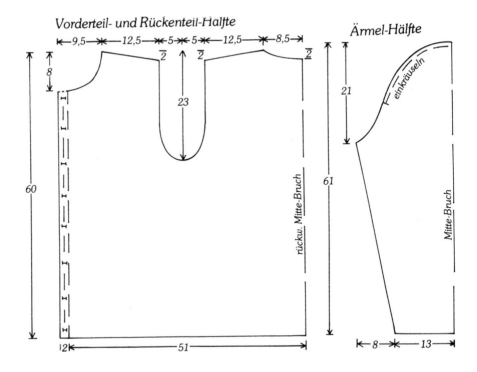

Vorderteil- und Rückenteil-Hälfte

Ärmel-Hälfte

für die Armkugel beginnen. Dafür beidseitig je 3 M. und weiter in jeder 2. R. 1mal 2 M. und 5mal 1 M., dann in jeder 4. R. 7mal 1 M., wieder in jeder 2. R. 5mal 1 M., 3mal 2 M., 2mal 3 M., dann die restl. 13 M. abketten. Den zweiten Ärmel genauso stricken. **Ausarbeitung:** Zunächst in jede Rhombe der Passe nach der original-großen Zeichnung eine Blume im Margueritenstich sticken, dabei die

Farben für die Blüten nach Belieben wählen. Die Schulter- und Ärmel-nähte schließen. Die Armkugeln ein-kräuseln und die Ärmel einnähen. Für die Blende aus dem Halsaus-schnitt 82 M. herausstricken, beidsei-tig die stillgelegten Blendenm. mit auf die Nadel nehmen und in Hin- und Rückr. 3 cm kraus re. arbeiten, die M. abketten. Die vord. Kanten und den Halsausschnitt mit gleich-

(weiter Seite 144)

Das Schema zeigt das Maschenbild der rechten Seite!

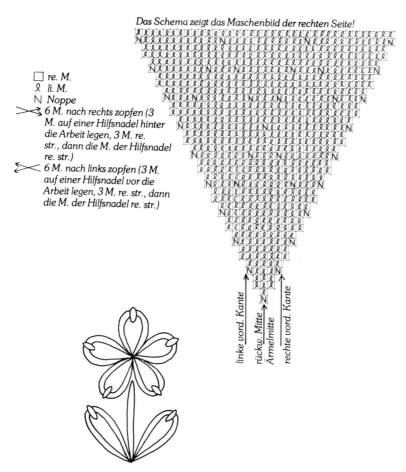

□ re. M.
ℓ li. M.
N Noppe
6 M. nach rechts zopfen (3 M. auf einer Hilfsnadel hinter die Arbeit legen, 3 M. re. str., dann die M. der Hilfsnadel re. str.)
6 M. nach links zopfen (3 M. auf einer Hilfsnadel vor die Arbeit legen, 3 M. re. str., dann die M. der Hilfsnadel re. str.)

linke vord. Kante
rückw. Mitte
Ärmelmitte
rechte vord. Kante

Originalgroße Blüte

mäßigen fe. M. in zyklamfarb. Stickwolle umhäkeln. Die Knöpfe annähen.

Strümpfe

Material: *200 g naturfarb. Schafwolle (Lauflänge 300 m/100 g) sowie 1 Nadelspiel Nr. 3 und 0,70 m Gummiband.*
Grundmuster: *s. Schema.*
Noppe: *Beschreibung s. Jacke.*
Maschenprobe: *glatt re. (Hinr. re., Rückr. li.) ergeben 20 M. in der Breite und 31 R. in der Höhe 10 cm im Quadrat.*
Anleitung: *Ein Strumpf wird am oberen Rand begonnen. Dafür insgesamt 76 M. (19 M. je Nadel) anschlagen, zur Rd. schließen und zunächst für den Saumbeleg 5 Rd. re. stricken. Dann für die Zackenkante eine Lochrd. arbeiten, d. h. abwechselnd 2 M. re. zus.stricken, 1 Umschl. aufnehmen. Anschließend für den Rand 5 Rd. re. stricken. Nun im Grundmuster nach dem Schema weiterarbeiten. Es müssen wieder 19 M. auf jeder Nadel sein! Man strickt in der Rd. wie gezeichnet, in der Höhe wird der Rapport fortlaufend wiederholt. In 11 cm Gesamth. mit den Abnahmen für die Beinform beginnen. Dafür in der folg. Rd. bei der 1. und 3. Nadel jeweils die 7. M. abheben, die 8. M. re. stricken und die abgehobene M. darüberziehen, bei der 2. und 4.*

Nadel jeweils die 12. und 13. M. re. zus.stricken. Diese Abnahmen noch 4mal in jeder 8. Rd. an den gleichen 4 Stellen wiederholen, also stets vor bzw. nach den li. M. 1 M. abnehmen, bis noch 14 M. auf jeder Nadel sind. In 33 cm Gesamth. mit der Ferse wie folgt beginnen: Die 2. und 3. Nadel stilllegen. Mit den M. der 1. und 4. Nadel in Hin- und Rückr. arbeiten, und zwar die mittl. 22 M. glatt re. und beidseitig die äußeren 3 M. kraus re. stricken (Hinr. re., Rückr. re.). Nach insgesamt 18 R. werden diese Fersenm. in 3 Teile geteilt (1mal 9 M., 1mal 10 M. und nochmals 9 M.). Nun in der folg. Hinr. die ersten 18 M. stricken, die folg. M. abheben, 1 M. re. stricken und die abgeh. M. darüberziehen, die Arbeit wenden. Dadurch entsteht eine Lücke. Die 1. M. li. abheben, 8 M. zurückstricken, dann 2 M. li. zus.stricken (die letzte M. des mittl. Drittels und die 1. M. des ersten Drittels). Die Arbeit wenden, die 1. M. re. abheben und weiter re. stricken bis 1 M. vor die Lücke. Von jetzt an in den Hinr. immer die M. vor der Lücke abheben, die folg. M. re. stricken und die abgeh. M. darüberziehen, in den Rückr. immer die M. vor und nach der Lücke li. zus.stricken bis die M. des 1. und 3. Drittels aufgebraucht sind. Für die Verbindung von Ferse und Spann werden die Randm. an beiden Seiten der Ferse aufgenommen. Dafür die Fersenm. auf 2 Nadeln verteilen und jeweils 9 M. an der Fersenkante aufnehmen. Diese M. werden in der 1. Rd. verschränkt abgestrickt. Damit in den Ecken, an denen sich die Randm. mit den M. der

Spann-Nadeln (2. und 3. Nadel) treffen, keine Löcher entstehen, wird je 1 Querfaden aufgefaßt. Nun in Rd. re. weiterstricken. In der 3. Rd. mit den Abnahmen für die Spickel beginnen. Dafür bei der 1. Nadel die beiden letzten M. re. zus.stricken, bei der 4. Nadel die 1. M. abheben, die 2. M. re. stricken und die abgeh. M. darüberziehen. Diese Abnahmen noch 4mal in jeder 2. Rd. genauso wiederholen. Nun von der 2. Nadel 2 M. auf die 1. Nadel und von der 3. Nadel 2 M. auf die 4. Nadel nehmen, damit auf jeder Nadel 12 M. liegen. In Rd. re. weiterstricken. In 19 cm, bzw. entspr. Fuß-

länge (von der rückw. Mitte der Ferse gemessen) mit den Abnahmen für die Spitze beginnen. Dafür in der folg. Rd. bei der 1. und 3. Nadel die 2.- und 3.letzte M. re. zus.stricken, bei der 2. und 4. Nadel die 2. M. abheben, die folg. M. re. stricken und die abgeh. M. darüberziehen. Diese Abnahmen noch 7mal in jeder 2. Rd. wiederholen, bis noch 4 M. auf jeder Nadel sind. Dann die 8 M. der Fußsohle mit den 8 M. des Fußrückens im Maschenstich zusammennähen. Den zweiten Strumpf genauso stricken. Die Säume nach innen biegen, von links festnähen und Gummiband einziehen.

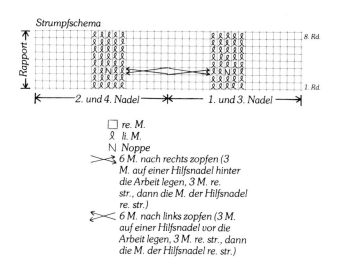

Strumpfschema

□ re. M.
ϙ li. M.
Ͷ Noppe
⤳ 6 M. nach rechts zopfen (3 M. auf einer Hilfsnadel hinter die Arbeit legen, 3 M. re. str., dann die M. der Hilfsnadel re. str.)
⤵ 6 M. nach links zopfen (3 M. auf einer Hilfsnadel vor die Arbeit legen, 3 M. re. str., dann die M. der Hilfsnadel re. str.)

Irische Mütze und Fingerhandschuhe

Ein internationales Gespann: Die Handschuhe zeigen Norwegermuster, die Mütze schmückt sich mit irischem Dekor. Ob in weicher Alpaka- oder in glatter Naturwolle – alle Teile ergänzen sich glänzend.

Material für die Mütze: 100 g naturfarb. Wolle (Lauflänge 183 m/ 100 g) sowie je 1 Nadelspiel Nr. 3,5 und Nr. 4.

Material für die Handschuhe: Alpakawolle (Lauflänge 183 m/50 g), je 50 g in Natur, Rost, Lachs, Camel und Lila (oder vorhandene Reste entsprechender Qualität) sowie 1 Nadelspiel Nr. 3.

Mütze
Grundmuster: s. Schema, Maschenzahl teilbar durch 30.
Noppe: 4 M. re. in die bezeichnete M. stricken, dabei abwechselnd 1mal von vorne, 1mal von hinten in die M. einstechen, über diese 4 M. 4 R. glatt re. (Rückr. li., Hinr. re.) arbeiten,

dann nacheinander die ersten M. über die 4. M. ziehen, d. h. zuerst die 3. M., dann die 2. M. zuletzt die 1. M. über die 4. M. ziehen.
Maschenprobe: 19 M. in der Breite und 26 R. in der Höhe ergeben 10 cm im Quadrat.
Anleitung: Die Mütze wird in Runden gestrickt und am Rand begonnen. Dafür 84 M., verteilt auf 4 Nadeln mit dem Nadelspiel Nr. 3,5 anschlagen und zunächst für den Saumbeleg 4 Rd. re. stricken. Dann für die Zackenkante eine Lochrd. arbeiten, d. h. abwechselnd 2 M. re. zus.stricken, 1 Umschl. aufnehmen. Für den Rand weitere 4 Rd. re. stricken. Anschließend mit dem Nadelspiel Nr. 4 nach dem Schema weiterarbeiten. Der Rapport wird in der Rd. 3mal ausgeführt. Dabei in der 1. Rd. für die Weite 6 M. zunehmen, d. h. bei jedem Rapport nach der 2. M. und jeweils nach der folg. 16. M. aus dem Querfaden der Vorrd. 1 M. re. verschr. herausstricken (damit das

(weiter Seite 148)

Mütze

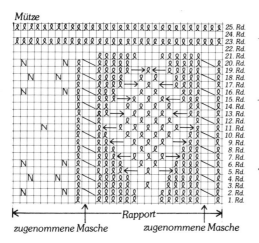

zugenommene Masche   Rapport   zugenommene Masche

☐ re. M.
Ջ li. M.
⟍ 2 re. M. nach links verkreuzen (die 1. M. auf einer Hilfsnadel vor die Arbeit legen, die 2. M. re. str., dann die M. der Hilfsnadel re. str.)
→ 2 re. M. um 1 M. nach rechts versetzen (die M. vor den 2 M. auf einer Hilfsnadel hinter die Arbeit legen, 2 M. re. str., dann die M. der Hilfsnadel je nach Muster re. oder li. str.)
← 2 re. M. um 1 M. nach links versetzen (die 2 M. auf einer Hilfsnadel vor die Arbeit legen, 1 M. je nach Muster re. oder li. str., dann die M. der Hilfsnadel re. str.)

Muster aufgeht). In der 22. Rd. mit den Abnahmen für die Kopfform beginnen. Dafür jede 9. und 10. M. re. zus.stricken. In der 24. Rd. diese Abnahmen an den gleichen Stellen wiederholen, also jede 8. und 9. M. re. zus.stricken (bleiben 72 M.). Nach Beenden des Schemas nur re. weiterstricken. Dabei weiter wie folgt M. abnehmen: In der 1. Rd. jede 11. und 12. M. re. zus.stricken. Diese Abnahmen noch 8mal in jeder 2. Rd. und 2mal in jeder Rd. an den gleichen Stellen ausführen, also zunächst jede 10. und 11. M., dann jede 9. und 10. M., jede 8. und 9. M. re. zus.stricken usw. Gleichzeitig, beginnend in 13 cm Gesamth., jeweils 3 Noppen zwischen den Abnahmestellen anordnen (Abstände wie im Schema eingezeichnet). Mit den letzten 6 M. noch 1 Rd. stricken, dabei in jede 2. M. eine Noppe arbeiten, dann die M. mit dem Endfaden zusammenziehen. Den Saum nach innen biegen und von links festnähen.

Handschuhe
Grundmuster: *glatt re. (in Runden nur re.), Norwegermuster s. Schema, Maschenzahl teilbar durch 6.*
Maschenprobe: *30 M. in der Breite und 36. R. in der Höhe ergeben 10 cm im Quadrat.*
Rechter Handschuh: *56 M. (14 M. je Nadel) in Natur anschlagen, zur Rd. schließen und zunächst für das Bündchen im Rippenmuster (1 M. re., 1 M. li. im Wechsel) arbeiten, und zwar 14 Rd. in Natur, 2 Rd. in Rost, 1 Rd. in Lachs, 2 Rd. in Rost und 14 Rd.*

in Natur. Dann weiter im Grundmuster das Norwegermuster nach Schema I ausführen. Dabei in der 1. Rd. 10 M. zunehmen, d. h. abwechselnd nach jeder 5. und 6. M. aus dem Querfaden der Vorrd. 1 M. re. verschr. herausstricken. Der Rapport wird in der Rd. 11mal gestrickt, in der Höhe ist das Muster bis zum Beginn der Finger gezeichnet. In der 23. Musterrd. für die Daumenöffnung M. stillegen. Dabei wie folgt vorgehen: Die ersten 2 M. der Rd. stricken, die folg. 15 M. für den Daumen auf Sicherheitsnadeln stillegen. An Stelle der stillgelegten M. 3 M. neu anschlagen und die Rd. mit den übrigen M. beenden. Gleichzeitig die M. so verteilen, daß auf der ersten Nadel 14 M., auf der zweiten Nadel 13 M. (diese 27 M. bilden die Handfläche), auf der 3. Nadel 14 M. und auf der 4. Nadel 13 M. (diese 27 M. bilden den Handrücken) liegen. Nun wie gewohnt in Rd. Schema I beenden. Der Rapport wird jetzt nur noch 9mal ausgeführt. Dann mit den Fingern beginnen. Für den Zeigefinger nimmt man 7 M. von der Handfläche (die ersten 7 M. der 1. Nadel) und 10 M. vom Handrücken (die letzten 10 M. der 4. Nadel). Zwischen Zeige- und Mittelfinger noch 3 M. dazu anschlagen, diese 20 M. auf 3 Nadeln verteilen und in Rd. im Grundmuster Rost arbeiten. Dabei das Pünktchenmuster nach Schema II in Natur einstricken. In 5 cm Höhe nur in Natur weiterarbeiten, und zwar 1 Rd. stricken, dann für die Spitze die 9. und 10. M. und die 19. und 20. M. re. zus.stricken. In den folg. 4 Rd. zunächst jede 5. und 6. M., dann jede 4. und 5. M., jede 3. und 4. M. und jede 2. und 3. M. re. zus.stricken. Die letz-

ten 6 M. mit dem Endfaden zusammenziehen. Den Mittelfinger in Lachs mit naturfarb. Pünktchen arbeiten. Dafür 7 M. von der Handfläche und 7 M. vom Handrücken nehmen, aus den 3 neu angeschlagenen M. zwischen Zeige- und Mittelfinger je 1 M. aufnehmen, zwischen Mittel- und Ringfinger 3 M. neu anschlagen und in Rd. 6 cm stricken. Dann in Natur die Spitze genau wie beim Zeigefinger arbeiten. Den Ringfinger in Camel mit naturfarb. Pünktchen arbeiten. Dafür 6 M. von der Handfläche und 6 M. vom Handrücken nehmen, die 3 M. zwischen Zeige- und Ringfinger mit aufnehmen, zwischen Ringfinger und kleinem Finger 3 M. neu anschlagen und in Rd. 5 cm stricken. Dann die Spitze in Natur arbeiten, wobei hier die Abnahmen

in der 2. Rd. entfallen. Den kleinen Finger in Lila mit naturfarb. Pünktchen stricken. Dafür zu den restlichen 11 M. (7 M. von der Handfläche und 4 M. vom Handrücken) die 3 M. zwischen dem Ringfinger und dem kleinen Finger aufnehmen, zu beiden Seiten dieser 3 M. aus dem Querfaden je 1 M. re. verschr. herausstricken und in Rd. 4 cm arbeiten. Dann die Spitze in Natur wie folgt stricken: In der 3. Rd., die 4., 5. und 6. M. und jede weitere 4. und 5. M. re. zus.stricken. In den folg. 3 Rd. an den gleichen 3 Stellen je 2 M. re. zus.stricken. Die letzten 3 M. mit dem Endfaden zusammenziehen. Für den Daumen zu den stillgelegten M. aus den 3 neu angeschlagenen M. der 1. Nadel je 1 M. aufnehmen, zu beiden Seiten dieser 3 M. aus dem Querfaden je 1 M. re. verschr. herausstricken und in Rd. weiter nach Schema I arbeiten. Da der Rapport jetzt nicht mehr aufgeht (20 M.), wird das Muster an der Daumeninnenseite ausgeglichen. Man strickt also an dieser Stelle stets 2 M. mehr in einer Farbe. Nach Beenden des Schemas die Spitze in Natur genau wie beim Zeigefinger arbeiten. Den **linken Handschuh** gegengleich arbeiten, d. h. für den Daumen werden vor den letzten 2 M. der Rd. 15 M. stillgelegt. Dann entsprechend fortfahren.

Fingerhandschuh
Schema I

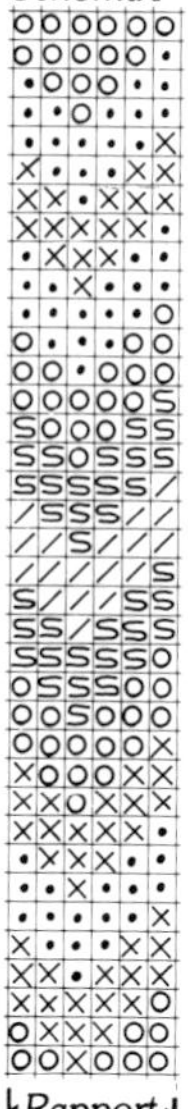

N Noppe
O Natur
X Rost
• Lachs
S Camel
/ Lila
Für die Finger:
V Rost, Lachs, Camel oder Lila

Schema II
(Finger)

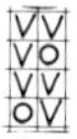

Rapport

Rapport

Rapport

Jacke mit Flächenaufteilung in Größe 40

Andenken an Arizona. Die Landschaft läuft bei dieser Jacke ringsherum. Wer statt dessen eigene Urlaubserinnerungen auf den Rücken stricken will, kann hier seiner Phantasie freien Lauf lassen. Wie es genau gemacht wird, steht auf Seite 52.

Material: *Mohairwolle (Lauflänge 80 m/50 g), d. h. 400 g in Blaugrau, je 100 g in Senfgelb, Grün und Oliv und je 50 g in Rot, Altrosa, Flieder, Weinrot, Lila, Rosa, Pfefferminzgrün, Russischgrün, Zyklam, Lachs und Apricot, je einen Rest Lurexgarn in Rot und Silber sowie Stricknadeln Nr. 5.*
Grundmuster: *glatt re. (Hinr. re., Rückr. li.), Flächenaufteilung s. Schema auf dem Beilagebogen.*
Maschenprobe: *14 M. in der Breite und 20 R. in der Höhe ergeben 10 cm im Quadrat.*
Rückenteil: *Insgesamt 102 M. anschlagen, und zwar 27 M. in Oliv, dann 42 M. in Altrosa und 33 M. in Senfgelb. Anschließend die Flächenaufteilung genau nach dem Schema ausführen. Dabei für die untere Blende die ersten 6 R. kraus re. (Hinr. re., Rückr. re.) stricken, dann im Grundmuster weiterarbeiten. Es wird ständig mit mehreren Knäulen gleichzeitig gestrickt (teilweise auch mit mehreren Knäulen derselben Farbe). Damit zwischen den einzelnen Flächen eine feste Verbindung entsteht, müssen bei jedem Farbwechsel in einer*

R. die beiden Fäden auf der Rückseite miteinander verkreuzt werden (s. auch Seite 52). Die seitlichen Abnahmen, die Abnahmen für die Armausschnitte und für den Halsausschnitt ebenfalls nach dem Schema vornehmen.
Rechtes Vorderteil: *Insgesamt 53 M. anschlagen, und zwar 49 M. in Senfgelb und 4 M. in Oliv. Dann genau nach dem Schema weiterarbeiten. Dabei für die untere Blende die ersten 6 R. und anschließend für die vord. Blende durchgehend bis zum Halsausschnitt die äußeren 7 M. kraus re., die übrigen M. im Grundmuster stricken. Alle Abnahmen nach dem Schema vornehmen. Außerdem in 27 cm Gesamth. mit dem Einstricken der Taschenblende beginnen. Dafür in der folg. Rückr. die 12.–29. M. re. stricken. In den nächsten 5 R. diese 18 M. kraus re. arbeiten, alle übrigen M. weiter im Grundmuster stricken. Dann für den Tascheneingriff die Blendenm. abketten. Nun zunächst einen Taschenbeutel anfertigen. Dafür getrennt 18 M. in Oliv neu anschlagen und 8 cm im Grundmuster stricken. Dieses Teil anstelle der abgeketteten M. auf die Nadel nehmen und wie gewohnt weiterarbeiten.*

(weiter Seite 152)

Das **linke Vorderteil** gegengleich arbeiten. Dafür 53 M. in Oliv anschlagen und wie gewohnt nach dem Schema weiterstricken.
Ärmel: 42 M. in Blaugrau anschlagen und nach dem Schema weiterarbeiten. Dabei für die untere Blende die ersten 6 R. kraus re. stricken, die Zunahmen für die Weite wie gezeichnet ausführen. Den zweiten Ärmel genauso stricken.

Kapuze: 46 M. in Blaugrau anschlagen und für eine Hälfte nach dem Schema arbeiten. Dabei für die Blende die äußeren 7 M. kraus re., alle übrigen M. im Grundmuster stricken. Die Abnahmen für die Rundung wie gezeichnet ausführen. Nach Erreichen der Bruchlinie die zweite Kapuzenhälfte gegengleich arbeiten.

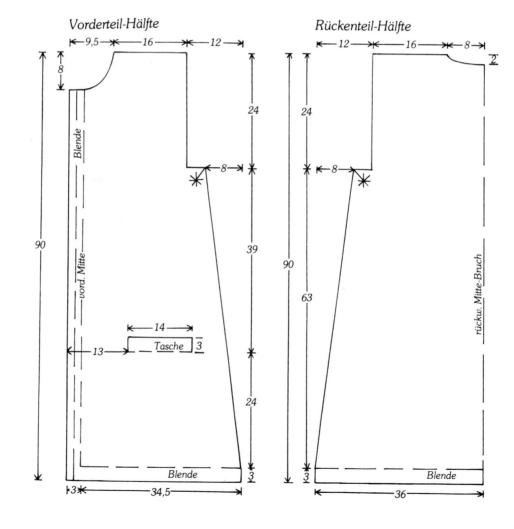

Vorderteil-Hälfte

Rückenteil-Hälfte

Ausarbeitung: *Die Seiten- und Schulternähte und die Ärmelnähte bis * schließen. Die Ärmel * an * einnähen. Die Kapuzennaht schließen, die Kapuze am Halsausschnitt annähen. Die Taschenbeutel von links unsichtbar festnähen. Die Stickerei auf dem Rückenteil nach dem Foto ausführen, d. h. die Konturen* der Straße im Stielstich, die Straßensteine im Maschenstich in Senfgelb aufsticken. Die Konturen der Autoreifen in Blaugrau im Stielstich arbeiten und die Flächen im Maschenstich in Blaugrau füllen. Scheinwerfer, Kühlergrill und die Konturen der Frontscheibe mit silbernem Lurexgarn im Maschenstich sticken, die Frontscheibe zusätzlich im Stielstich umrahmen. Die Konturen der Karosserie in Zyklam im Stielstich arbeiten.

Ärmel-Hälfte

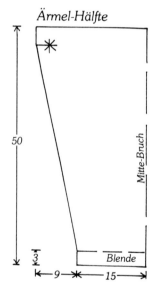

Kapuzen-Hälfte

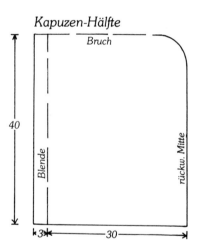

Norwegerstrümpfe

Nichts für Blaustrümpfe: Bei diesen frechen Beinkleidern sind so viele kleine Muster und verschiedene Farben mit von der Partie, daß sie solo genauso lustig aussehen wie über Blue Jeans oder Knickerbockern.

Material: *Wolle (Lauflänge 215 m/50 g), 100 g in Blau und je 50 g in Dunkelblau, Graublau, Rot, Gelb und Hellgrün sowie 1 Nadelspiel Nr. 2,5.*
Grundmuster: *glatt re. (in Runden nur re.), Norwegermuster s. Schema.*
Maschenprobe: *35 M. in der Breite und 42 R. in der Höhe ergeben 10 cm im Quadrat.*
Anleitung: *144 M. (36 M. je Nadel) in Blau anschlagen, zur Rd. schließen und zunächst 10 cm im Rippenmuster (2 M. re., 2 M. li. im Wechsel) stricken. Dann weiter im Grundmuster das Norwegermuster nach dem Schema arbeiten. In der Rd. den Rapport fortlfd. wiederholen. Dabei in der 3. Musterrd. jede 8. und 9. M. re. zus.stricken, bis 128 M. bleiben. Alle weiteren Abnahmen für die Beinform werden in der rückw. Mitte vorgenommen. Dafür stets bei der 1. Nadel die 1. M. abheben, die 2. M. stricken und die abgehobene M. darüberziehen, bei der 4. Nadel die letzten 2*

M. re. zus.stricken. Es muß darauf geachtet werden, daß sich das Muster in der Höhe richtig fortsetzt (s. Schema). Wegen der Abnahmen geht teilweise der Musterrapport nicht ganz auf. In folg. Musterrd. wird wie oben beschrieben abgenommen: 20. Rd., 24. Rd., 31. Rd., 35. Rd., 43. Rd., 51. Rd., 58. Rd., 66. Rd., 83. Rd., 90. Rd., 106. Rd., 114. Rd., 132. Rd., 140. Rd., 148. Rd., 151. Rd., 162. Rd., 165. Rd., 169. Rd., 171. Rd., 174. Rd., 176. Rd., 179. Rd., 184. Rd., 188. Rd., 190. Rd., 192. Rd., 195. Rd., 204. Rd., 209. Rd. Nach diesen Abnahmen sind noch 68 M. auf der Nadel. Diese M., beginnend in der rückw. Mitte, so auf die Nadeln verteilen, daß 17 M. auf jeder Nadel sind. Nach der 222. Musterrd. mit der Ferse beginnen. Dafür nur mit den M. der 1. und 4. Nadel (34 M.) in Blau glatt re. (Hinr. re., Rückr. li.) weiterstricken. Nach insgesamt 24 R. die Fersenm. in 3 Teile teilen (11 M., 12 M. und 11 M.). In der folg. Hinr. 22 M. stricken, die folg. M. abheben, die nächste M. re. str. und die abgehobene M. darüberziehen. Es werden also die letzte M. des 2. Drittels und die 1. M. des 3. Drittels zusammengestrickt. Die Arbeit wenden. Dadurch entsteht eine Lücke. Nun die 1. M. der linken Nadel abheben, 10 M. li. zurückstricken, die 11. und 12. M. (die letzte M. des 2. Drittels und die 1. M. des 3. Drittels) li. zus.stricken.

(weiter Seite 156)

Die Arbeit wenden. Die 1. M. auf der linken Nadel abheben und weiter re. stricken bis 1 M. vor die Lücke. Jetzt stets in den Hinr. die M. vor der Lücke abheben, die M. nach der Lücke re. stricken und die abgehobene M. darüberziehen. In den Rückr. stets die M. vor und nach der Lücke li. zus.stricken, bis die M. des 1. und 3. Drittels verbraucht sind. Die übrigen M. wieder auf 2 Nadeln verteilen (je 6 M.) und für die Verbindung von Ferse und Spann beidseitig 12 M. aus den Randm. aufnehmen. Damit zwischen Ferse und Spann keine Löcher entstehen, wird zusätzlich der Querfaden der Vorrd. mit aufgenommen. (Diese neu aufgenommenen M. werden in der folg. Rd. re. verschr. abgestrickt.) Es sind jetzt je 19 M. auf der 1. und 4. Nadel. Nun in Rd. den Fuß stricken. Dabei in den folg. 3 Rd. die 220.–222. Musterrd. wiederholen. Gleichzeitig in der 1. und 3. Rd. für die Spickel M. wie folgt abnehmen: Jeweils bei der 1. Nadel die letzten 2 M. re. zus.stricken, bei der 4. Nadel

die 1. M. abheben, die 2. M. re. str. und die abgehobene M. darüberziehen. Dann wie folgt weiterarbeiten: Bei den M. für den Spann (2. und 3. Nadel) die 59.–94. Musterrd. wiederholen, bei den übrigen M. je 1 M. im Wechsel in den entsprechenden zwei Farben stricken. Anschließend den Fuß in Blau beenden. In 19 cm bzw. entspr. Fußlänge mit den Abnahmen für die Spitze beginnen. Dafür bei der 1. und 3. Nadel jeweils die 3. und 4.letzte M. re. zus.stricken, bei der 2. und 4. Nadel jeweils die 3. M. abheben, die folg. M. re. str. und die abgehobene M. darüberziehen. Diese Abnahmen noch 7mal in jeder 2. Rd. und 6mal in jeder Rd. genauso wiederholen. Dann die 6 M. des Fußrükkens mit den 6 M. der Fußsohle im Maschenstich zusammennähen. Den zweiten Strumpf genauso stricken.

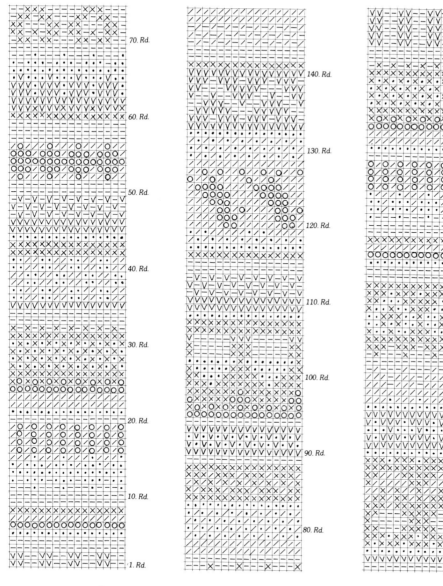

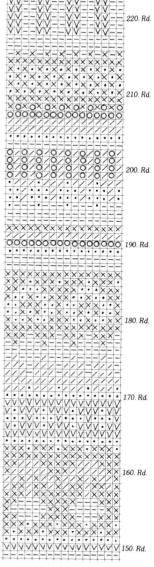

∨ Blau
— Dunkelblau
○ Graublau
• Rot
✕ Gelb
╱ Hellgrün

Spitzenkragen

Zarte Spitzen für zarte Mädchen: Wer den üblichen Blusenkragen nicht mehr tragen will, kann sich diese feingestrickten Spitzen auf Sweatshirts, Pullis oder Kleider nähen.

Material: 50 g weißes Baumwollgarn (Lauflänge 250 m/50 g) und Stricknadeln Nr. 2,5.
Grundmuster: Maschenzahl teilbar durch 6 plus 5 M. und 2 Randmaschen. **1.–4. Reihe:** kraus re. (Hinr. re., Rückr. re.) **5.–10. Reihe:** li. (Hinr. li., Rückr. re.) **11. Reihe:** 1 Randm. (diese in den Hin- und Rückr. immer re. str.), 5 M. li., * 1 Umschl., 1 M. re., 1 Umschl., 5 M. li., ab * fortlfd. wiederholen, 1 Randm. **12. und jede weitere Rückreihe:** die M. stricken wie sie erscheinen, re. M. re., li. M. und Umschl. li. **13. Reihe:** 1 Randm., 5 M. li., * 1 M. re., 1 Umschl., 1 M. re., 1 Umschl., 1 M. re., 5 M. li., ab * fortlfd. wiederh., 1 Randm. **15. Reihe:** 1 Randm., 5 M. li., * 2 M. re., 1 Umschl., 1 M. re., 1 Umschl., 2 M. re., 5 M. li., ab * fortlfd. wiederholen, 1 Randm. **17. Reihe:** 1 Randm., 2 M. li., 1 M. re., 2 M. li., * 3 M. re., 1 Umschl., 1 M. re., 1 Umschl., 3 M. re., 2 M. li., 1 M. re., 2 M. li., ab * fortlfd. wiederholen, 1 Randm. **19. Reihe:** 1 Randm., 2 M. li., 1 M. zunehmen (aus dem Querfaden der Vorr. re. verschr. herausstricken), 1 M. re., 1 M. zunehmen, 2 M. li., * 1 M. abheben, 1 M. re. und die abgehobene M. darüberziehen, 5 M. re., 2 M. re. zus.stricken. 2 M. li., 1 M. zunehmen, 1 M. re., 1 M. zunehmen, 2 M. li., ab * fortlfd. wiederholen, 1 Randm. **21. Reihe:** 1 Randm., 2 M. li., 1 M. zunehmen, 3 M.

re., 1 M. zunehmen, 2 M. li., * 1 M. abheben, 1 M. re. und die abgehobene M. darüberziehen, 3 M. re., 2 M. re. zus.stricken, 2 M. li., 1 M. zunehmen, 3 M. re., 1 M. zunehmen, 2 M. li., ab * fortlfd. wiederholen, 1 Randm. **23. Reihe:** 1 Randm., 2 M. li., 1 M. zunehmen, 2 M. re., in die folg. M. 1 Noppe arbeiten (5 M. re. in die betr. M. stricken, dabei abwechselnd 1mal von vorne, 1mal von hinten in die M. einstechen. Über diese 5 M. 4 R. glatt re. (Rückr. li., Hinr. re.) arbeiten, dann mit der linken Nadel zuerst die 4. M., dann die 3. M., die 2. M. und die 1. M. über die 5. M. ziehen), 2 M. re., 1 M. zunehmen, 2 M. li., * 1 M. abheben, 1 M. re. und die abgehobene M. darüberziehen, 1 M. re., 2 M. re. zus.stricken, 2 M. li., 1 M. zunehmen, 2 M. re., in die folg. M. 1 Noppe arbeiten, 2 M. re., 1 M. zunehmen, 2 M. li., ab * fortlfd. wiederholen, 1 Randm. **25. Reihe:** 1 Randm., 2 M. li., 1 M. zunehmen, 7 M. re., 1 M. zunehmen, 2 M. li., * 1 M. abheben, 2 M. re. zus.stricken und die abgehobene M. darüberziehen, 2 M. li., 1 M. zunehmen, 7 M. re., 1 M. zunehmen, 2 M. li., ab * fortlfd. wiederholen, 1 Randm. Ab der **27. Reihe:** die Rhomben einzeln beenden. Dafür zunächst nur mit den ersten 14 M. wie folgt weiterarbeiten: die 1. M. re. abheben, 2 M. li. zus. stricken und die abgehobene M. darüberziehen, 9 M. re., 1 M. li., diese M.

(weiter Seite 160)

wieder auf die linke Nadel nehmen und die letzte M. von links nach rechts darüberziehen, die M. wieder auf die rechte Nadel nehmen. **28. und jede weitere Rückreihe:** beidseitig die äußeren 2 M. re., die übrigen M. li. **29. und alle weiteren Hinreihen:** stets die 1. M. abheben, die 2. M. li. und die abgehobene M. darüberziehen, die vorletzte M. li. und die letzte M. darüberziehen, alle übrigen M. re. Die letzten 3 M. (Rückr.) li. zus.stricken. Den Faden abschneiden (er muß noch zum Vernähen reichen) und nacheinander alle weiteren Rhomben mit jeweils 14 M. genauso beenden. Für die letzte Rhombe bleiben 15 M. übrig. Hier in der 27. R. die 2. und 3.letzte M. li. zus.stricken, dann wie gewohnt fortfahren. **Anleitung:** 139 M. anschlagen und wie beschrieben arbeiten.

Gardine fürs Badezimmer

Schützt von außen vor neugierigen Blicken: Ein origineller Schmuck für kleine Fenster- oder Türscheiben ist diese Gardine aus feinem Baumwollgarn.

Material: 150 g weißes Baumwollgarn (Laufgänge 170 m/50 g) und Stricknadeln Nr. 2,5.
Grundmuster: s. Schema. Es sind nur die Hinreihen gezeichnet. In den Rückreihen werden alle M. und Umschl. li. gestrickt. Die äußeren 5 M. (Randm.) sind nicht gezeichnet und werden in Hin- und Rückreihen immer rechts gestrickt.

Maschenprobe: 25 M. in der Breite und 38 R. in der Höhe ergeben 10 cm im Quadrat.
Die fertige **Gardine** ist 50 cm breit und 65 cm hoch. Dafür 124 M. anschlagen und zunächst für den Saumbeleg 1 cm glatt re. (Hinr. re., Rückr. li.) stricken. In der folg. Hinr. für die Zackenkante eine Lochr. arbeiten, d. h. 1 M. re., dann abwechselnd 1 Umschl. aufnehmen, 2 M. re. zus.stricken, die letzte M. re. arbeiten. Noch 1 cm für den Saum glatt re. stricken und nach dem Schema weiterarbeiten: Die ersten 11 M., dann 6mal den Rapport und weiter die

(weiter Seite 162)

Das Schema zeigt nur die Hinreihen!

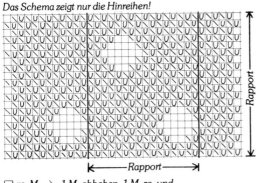

———Rapport———→

□ re. M.   \ 1 M. abheben, 1 M. re. und
∪ Umschl.   die abgeh. M. darüberziehen.

letzten 17 M. stricken. In der Höhe
wird der Rapport 6mal ausgeführt.
Anschließend für den oberen Saum 1
cm glatt re. und eine Lochr. arbeiten.
Noch 1 cm glatt re. für den Saumbeleg stricken, die M. abketten. Den Be-
leg nach innen biegen und von links
festnähen. Die Gardine von links auf
das angegebene Maß spannen und
vorsichtig dämpfen. Soll die Gardine
breiter oder höher werden, wird der
Rapport entsprechend oft wiederholt.

Pullover mit Raglanärmeln in Größe 38 und Größe 42

Eine Raglanschrägung schmückt sich
mit einem Zopf: Dieser Schnitt sitzt
perfekt. Das schlichte Muster läßt sich
nach Belieben durch andere er-
setzen.
Alle Angaben für Größe 42 stehen,
sofern sie abweichen, in eckigen
Klammern.

Material: 600 g [650 g] rostfarb. Wolle
(Lauflänge 100 m/50 g) sowie je eine
Rundstricknadel in Nr. 3,5 und Nr. 4.
Grundmuster I: glatt re. (Hinr. re.,
Rückr. li., in Runden nur re.)
Grundmuster II: Zopfmuster. **Hin-
reihen:** 2 M. li., 6 M. re., 2 M. li.
Rückreihen: 2 M. re., 6 M. li., 2 M.
re. Dabei in der 5. R. und jeder weite-
ren 8. R. (also stets in einer Hinr.) wie
folgt zopfen: 2 M. li., 3 M. auf einer

Hilfsnadel hinter die Arbeit legen, 3
M. re., die M. der Hilfsnadel re., 2 M. li.
stricken.
Maschenprobe: glatt rechts ge-
strickt ergeben 20 M. in der Breite
und 27 R. in der Höhe 10 cm im
Quadrat.
Rücken- und Vorderteil werden
bis zu den Armausschnitten in einem
Stück in Runden gestrickt. Dafür 180
M. [196 M.] mit Nadel Nr. 3,5 an-
schlagen, zur Rd. schließen und zu-
nächst für das Bündchen 6 cm im
Rippenmuster (2 M. re., 2 M. li. im
Wechsel) stricken. Dann mit Nadel
Nr. 4 im Grundmuster I weiterarbei-
ten. Dabei für die Weite in der 1. Rd.
M. zunehmen, d. h. 20mal nach jeder
9. M. [abwechselnd nach jeder 9. und
10. M.] aus dem Querfaden der

(weiter Seite 164)

Vorrd. 1 M. re. verschr. herausstrikken. In 37 cm [38 cm] Gesamth. für
die Armausschnitte an den Seiten je
12 M., und zwar die 1.–12. M. und
die 101.–112. M. [109.–120. M.] der
Rd. abketten. Dieses Teil stillegen und
mit einem **Ärmel** beginnen. Dafür
40 M. [44 M.] mit Nadel Nr. 3,5 anschlagen und in Hin- und Rückr. zunächst für das Bündchen 6 cm im
Rippenmuster stricken. Dann mit

Nadel Nr. 4 im Grundmuster I weiterarbeiten. Dabei für die Weite in der
1. R. M. zunehmen, d. h. 12mal nach
jeder 3. M. [abwechselnd nach jeder
3. und 4. M.] aus dem Querfaden der
Vorr. 1 M. re. verschr. herausstricken.
Anschließend insgesamt 20mal abwechselnd in jeder 4. und 6. R. beidseitig je 1 M. zunehmen. In 45 cm Gesamth. beidseitig je 6 M. abketten.
Dieses Teil stillegen und den zweiten

Vorderteil- und Rückenteil-Hälfte mit Ärmel

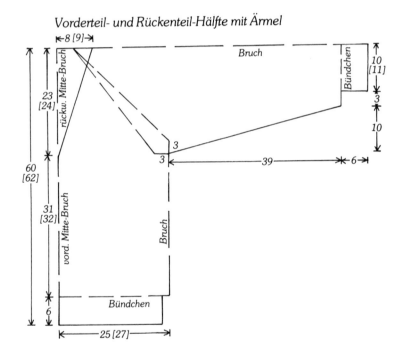

Ärmel genauso weit stricken. Die Ärmel zwischen Rücken- und Vorderteil auf die Nadel nehmen und alle Teile gemeinsam beenden. Die Arbeit für den vord. Halsausschnitt in der Mitte teilen und von dieser Stelle aus in Hin- und Rückr. stricken. Dabei arbeitet man an den 4 Raglanlinien jeweils 10 M., und zwar je 5 M. vom Ärmel und 5 M. vom Rücken- bzw. Vorderteil, im Zopfmuster (Grundmuster II). Alle übrigen M. weiter im Grundmuster I stricken. Gleichzeitig für die Raglanschrägungen 26mal [28mal] in jeder Hinr. M. abnehmen. Dafür stets vor Beginn des Zopfmusters 2 M. re. zus.stricken, anschließend an das Zopfmuster 1 M. abheben, die folg. M. re. und die abgehobene M. darüberziehen. Gleichzeitig für die Ausschnittschräge sofort und noch 15mal [17mal] abwechselnd in jeder 2. und 4. R. beidseitig je 1 M. abketten. Diese Abnahmen treffen mit den Abnahmestellen an den vord. Raglanlinien zusammen. Dadurch können die Raglanabnahmen hier nicht weiter wie gewohnt bis zur 26. [28.] Abnahme ausgeführt werden. Statt dessen jetzt 4mal [3mal]

beidseitig die äußere M. abketten. Nun noch insgesamt 12 R. stricken. Dabei an den rückw. Raglanlinien in jeder Hinreihe wie folgt M. abnehmen: jeweils vor dem Zopfmuster 3 M. re. zus.stricken, jeweils nach dem Zopfmuster 1 M. abheben, 2 M. re. zus.stricken und die abgehobene M. darüberziehen. Gleichzeitig in jeder 2. R. beidseitig 1mal 4 M., 1mal 3 M., 1mal 2 M., 3mal 1 M., dann alle übrigen M. abketten.

Ausarbeitung: Den Pullover von links schnittgemäß spannen und vorsichtig dämpfen. Die Ärmel- und Armausschnittnähte schließen. Für die Blende aus dem Halsausschnitt 127 M. [139 M.] mit Nadel Nr. 3,5 herausstricken und in Rd. im Rippenmuster arbeiten. Dabei in der vord. Mitte nur 1 M. re. stricken und an dieser Stelle in jeder Rd. für die Spitze wie folgt M. abnehmen: Die Mittelm. auf eine Hilfsnadel nehmen, die M. davor mit der folg. M. re. bzw. li. zus.-stricken, die Mittelm. darüberziehen.

Mütze und Fausthandschuhe

Fit für die Schneeballschlacht: Die einfarbige Mütze mit bunten Ringeln und die Handschuhe mit plastischem Zopf sind der richtige Schutz gegen Winterkälte.

Material: *Wolle (Lauflänge 125 m/ 50 g), d. h. 100 g in Rot, 50 g in Braun und einen Rest in Lila sowie 1 Nadelspiel Nr. 3.*
Grundmuster I: *glatt re. (hier in Runden nur re.)*
Grundmuster II: *Zopfmuster s. Schema.*
Maschenprobe: *Im Grundmuster I ergeben 24 M. in der Breite und 34 R. in der Höhe 10 cm im Quadrat.*
*Die **Mütze** wird in Runden gestrickt und am Rand begonnen. Dafür 104 M., 26 M. je Nadel, in Braun anschlagen, zur Rd. schließen und zunächst kraus re. (1 Rd. re., 1 Rd. li. im Wechsel) arbeiten, und zwar 12 Rd. in Braun, 4 Rd. in Lila, 2 Rd. in Rot, 4 Rd. in Lila und 10 Rd. in Braun. Dann die Mütze in Braun im Grundmuster I beenden. In 14 cm Gesamth. mit den Abnahmen für die Kopfform*

beginnen. Dafür in der folg. Rd. jede 12. und 13. M. re. zus.stricken. Diese Abnahmen noch 5mal in jeder 2. Rd., dann in jeder Rd. an den gleichen 8 Stellen wiederholen, also zunächst jede 11. und 12. M., weiter jede 10. und 11. M., jede 9. und 10. M. usw. re. zus.stricken. Die letzten 8 M. mit dem Endfaden zusammenziehen.
Rechter Handschuh: *48 M., 12 M. je Nadel, in Rot anschlagen, zur Rd. schließen und zunächst für das Bündchen 8 cm im Rippenmuster (2 M. re., 2 M. li. im Wechsel) stricken. Dann 1 Rd. re. arbeiten, dabei insgesamt 10mal abwechselnd nach jeder 4. und 5. M. aus dem Querfaden der Vord. 1 M. re. verschr. herausstrikken. Diese 58 M. wie folgt verteilen: Auf die 1. und 2. Nadel je 13 M. (diese bilden die Handfläche), auf die 3. und 4. Nadel je 16 M. (diese bilden den Handrücken, wegen des Zopfmusters werden hier mehr M. benötigt). Nun weiter in Rd. die Handfläche im Grundmuster I, den Handrücken im Grundmuster II (s. Schema) arbeiten und den Rapport stets wiederholen. Gleichzeitig in 9 cm Gesamth. mit den Zunahmen für den Daumenspickel beginnen. Dafür vor und nach der 1. M. der 1. Nadel aus dem Querfaden der Vord. 1 M. re. verschr. herausstricken. Diese Zunahmen noch 8mal in jeder 2. Rd. an den gleichen Stellen wiederholen, d. h. die M. stets vor und nach den zuletzt zugenommenen M. herausstrikken. Die 19 Spickelm. auf 2 Sicherheitsnadeln stillegen, statt dessen am*

(weiter Seite 168)

Grundmuster II

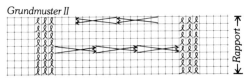

← Rapport →

□ re. M.
ℓ li. M.
✕ 6 M. nach rechts zopfen (3 M. auf einer Hilfsnadel hinter die Arbeit legen, 3 M. re., die M. der Hilfsnadel re.)
✕ 6 M. nach links zopfen (3 M. auf einer Hilfsnadel vor die Arbeit legen, 3 M. re., die M. der Hilfsnadel re.)

Anfang der 1. Nadel 1 M. neu anschlagen und im gewohnten Muster
weiterarbeiten. In 21 cm Gesamth.
mit den Abnahmen für die Spitze beginnen. Dafür bei der 1. und 3. Nadel die 2. M. abheben, die folg. M. re.
stricken und die abgehobene M. darüberziehen. Bei der 2. und 4. Nadel
die 2. und 3.letzte M. re. zus.stricken.
Diese Abnahmen noch 2mal in jeder
2. Rd. und 8mal in jeder Rd. wiederholen. In den letzten 3 Abnahmerd.
beim Handrücken beidseitig je 1 M.
zusätzlich abnehmen, d. h. bei der 3.
Nadel die 2. M. abheben, 2 M. re. zus.-
stricken und die abgehobene M. darüberziehen, bei der 4. Nadel die 2., 3.
und 4.letzte M. re. zus.stricken. Die
letzten 4 M. vom Handrücken mit
den letzten 4 M. der Handfläche im
Maschenstich zusammennähen. Die

Daumenm. auf 3 Nadeln verteilen,
von der neu angeschlagenen M. über
der Daumenöffnung den Querfaden
verschr. mit auf die Nadel nehmen
und in Rd. im Grundmuster I arbeiten. In 3,5 cm Höhe mit den Abnahmen für die Daumenspitze beginnen. Dafür jede 4. und 5. M. re. zus.-
stricken. Diese Abnahmen noch 1mal
in der folg. 2. Rd. und 2mal in jeder
weiteren Rd. wiederholen. Die letzten
4 M. mit dem Endfaden zusammenziehen. Den **linken Handschuh**
gegengleich stricken, d. h. die
M. für den Handrücken auf
die 1. und 2. Nadel, für die Handfläche auf die 3. und 4. Nadel
verteilen. Mit den Zunahmen
für den Daumenspickel vor und
nach der letzten M. der 4. Nadel
beginnen.

Pullover mit irischen Mustern in Größe 38 und Größe 42

Ein Pullover mit plastisch gestrickten
irischen Mustern. An diesem Klassiker
unter den Sportpullovern hat man
lange Freude, ganz gleich, ob tradi-
tionelle Naturtöne oder eine ausgefallene Farbe dafür genommen
werden.
Alle Angaben für Größe 42 stehen,
sofern sie abweichen, in eckigen
Klammern.

Material: 1000 g [1100 g] stahlblaue
Wolle (Lauflänge 115 m/100 g) so-
wie 1 Rundstricknadel Nr. 5 und
Stricknadeln Nr. 5,5.

Grundmuster: s. Schema.
Bäumchenmuster: 1. Reihe: 3 M.
li., 1 M. re. verschränkt, 1 M. li., 1 M.
re. verschränkt, 1 M. li., 1 M. re. verschränkt, 3 M. li. **2. und jede weitere Rückreihe:** die M. stricken wie sie
erscheinen, re. M. re., li. M. li. verschränkt. **3. Reihe:** 2 M. li., 1 M. auf
einer Hilfsnadel hinter die Arbeit legen, 1 M. re. verschränkt, die M. der
Hilfsnadel li., 1 M. li., 1 M. re. verschränkt, 1 M. li., 1 M. auf einer Hilfsnadel vor die Arbeit legen, 1 M. li., die

(weiter Seite 170)

M. der Hilfsnadel re. verschränkt, 2 M. li. **5. Reihe:** 1 M. li., 1 M. auf einer Hilfsnadel hinter die Arbeit legen, 1 M. re. verschränkt, die M. der Hilfsnadel li., 1 M. li., 3 M. re. verschränkt, 1 M. li., 1 M. auf einer Hilfsnadel vor die Arbeit legen, 1 M. li., die M. der Hilfsnadel re. verschränkt, 1 M. li. **7. Reihe:** 3 M. li., 1 M. auf einer Hilfsnadel hinter die Arbeit legen, 1 M. re. verschränkt, die M. der Hilfsnadel li., 1 M. re. verschränkt, 1 M. auf einer Hilfsnadel vor die Arbeit legen, 1 M. li., die M. der Hilfsnadel re. verschränkt, 3 M. li. Die 3.–8. Reihe stets wiederholen.

Noppe: 5 M. re. in die bezeichnete M. stricken, dabei abwechselnd 1 mal von vorne, 1 mal von hinten in die M. einstechen. Über diese 5 M. 4 R. glatt re. (Rückr. li., Hinr. re.) arbeiten. Dann mit der linken Nadel nacheinander die ersten M. über die 5. M. ziehen, wobei mit der nächstliegenden M. begonnen wird (also zuerst die 4. M. über die 5. M., dann die 3. M. über die 5. M. usw.).

Maschenprobe: glatt re. (Hinr. re., Rückr. li.) gestrickt ergeben 15 M. in der Breite und 18 R. in der Höhe 10 cm im Quadrat.

Rückenteil: 96 M. [104 M.] mit Nadel Nr. 5 anschlagen und in Hin- und Rückr. zunächst für das Bünd-chen 6 cm im Rippenmuster (2 M. re., 2 M. li. im Wechsel) stricken. Dann mit Nadeln Nr. 5,5 im Grundmuster weiterarbeiten. Dabei für die Weite in der 1. R. M. zunehmen, d. h. 9 mal nach jeder 10. M. [11. M.] aus dem Querfaden der Vorr. je nach Muster 1 M. re. bzw. li. verschränkt heraus-stricken. Man arbeitet nach dem Schema bis zur rückwärtigen Mitte und beendet die R. gegengleich. Das Schema zeigt das Maschenbild der rechten Seite, in den Rückr. müssen also die rechts gezeichneten M. li., die links gezeichneten M. re. gestrickt werden. In der Höhe strickt man 1 mal von der 1.–20. R. und wiederholt dann fortlfd. die 3.–20. Reihe. In 65 cm Gesamthöhe die M. abketten.

Das **Vorderteil** wird bis 58 cm Gesamthöhe genau wie das Rückenteil gestrickt. Dann für den vord. Halsausschnitt die mittleren 15 M. abketten und zunächst eine Schulter beenden. Dabei weiter in jeder 2. R. 1 mal 3 M., 3 mal 2 M. und 2 mal 1 M., in 65 cm Gesamthöhe die übrigen 34 M. [38 M.] abketten. Die zweite Schulter gegengleich beenden.

Ärmel: 38 M. [40 M.] mit Nadel Nr. 5 anschlagen und in Hin- und Rückr. zunächst für das Bündchen 6 cm im Rippenmuster stricken. Dann 1 R. (Rückr.) li. arbeiten, dabei für die Weite M. zunehmen, d. h. 17 mal [19 mal] nach jeder 2. M. aus dem Querfaden der Vorr. 1 M. li. verschränkt herausstricken. Anschließend mit Nadeln Nr. 5,5 im Grundmuster weiterarbeiten. Dabei das Muster von der Ärmelmitte aus einrichten (s. Schema, der bezeichnete Musterteil entfällt). Außerdem insgesamt 21mal abwechselnd in jeder 2. und 4. R. beidseitig je 1 M. zunehmen und das Muster seitlich entsprechend fortsetzen. In 45 cm Gesamthöhe die M. abketten. Den zweiten Ärmel genauso stricken.

Ausarbeitung: Die Seitennähte 42 cm [41 cm] hoch, die Schulter- und Ärmelnähte schließen. Die Ärmel einnähen. Für die Blende aus dem Halsausschnitt 92 M. mit Nadel Nr. 5 herausstricken und in Rd. 2,5 cm im Rippenmuster arbeiten, die M. abketten.

(Schemazeichnung Seite 172)

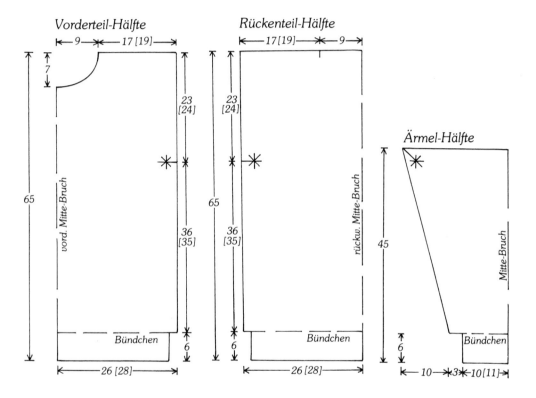

Vorderteil-Hälfte

Rückenteil-Hälfte

Ärmel-Hälfte

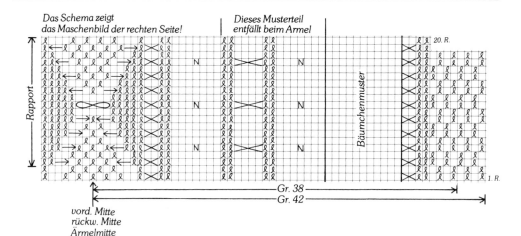

Das Schema zeigt
das Maschenbild der rechten Seite!

Dieses Musterteil
entfällt beim Armel

Rapport

Bäumchenmuster

20. R.

1. R.

Gr. 38
Gr. 42

vord. Mitte
rückw. Mitte
Ärmelmitte

Ν Noppe

╳ 2 re. M. nach rechts verkreuzen (die 1. M. auf einer
Hilfsnadel hinter die Arbeit
legen, die 2. M. re. str., dann
die M. der Hilfsnadel re. str.)

╳ 4 re. M. zopfen (2 M. auf einer
Hilfsnadel hinter die Arbeit
legen, 2 M. re. str., dann die M.
der Hilfsnadel re. str.)

←— 2 re. M. um 1 M. nach links versetzen (2 M. auf einer Hilfsnadel vor die Arbeit legen, 1 M.
je nach Muster re. oder li.
str., dann die M. der Hilfsnadel
re. str.)

—→ 2 re. M. um 1 M. nach rechts

versetzen (die M. vor den 2
M. auf einer Hilfsnadel hinter
die Arbeit legen, 2 M. re.
str., dann die M. der Hilfsnadel
je nach Muster re. oder
li. str.)

∞ 5 re. M. verkreuzen (die ersten 3 M. auf einer Hilfsnadel
hinter die Arbeit legen, die
folg. 2 M. re. str., die ersten 2
M. der Hilfsnadel auf die
linke Nadel nehmen,
die 3. M. der Hilfsnadel re.
str., dann die 2 M. der linken
Nadel re. str.)

☐ re. M.
Ω li. M.

Gebräuchliche Abkürzungen bei Strickanleitungen

abh. = abheben
abn. = abnehmen
anschl. = anschlagen
fortlfd. = fortlaufend
insges. = insgesamt
li. M. = linke Masche
li. verschr. = links verschränkt
M. = Masche
Randm. = Randmasche
Rapport = eine bestimmte Muster-
strecke in Länge und Breite, die beliebig oft wiederholt werden kann.
∗ = Wiederholungszeichen (d. h. das
Muster zwischen zwei ∗ wird fortlaufend wiederholt)
R. = Reihe
re. M. = rechte Masche
re. verschr. = rechts verschränkt
Rd. = Runde
str. = stricken
überz. = überziehen
Umschl. = Umschlag
wiederh. = wiederholen
zun. = zunehmen
zus.str. = zusammenstricken

Register

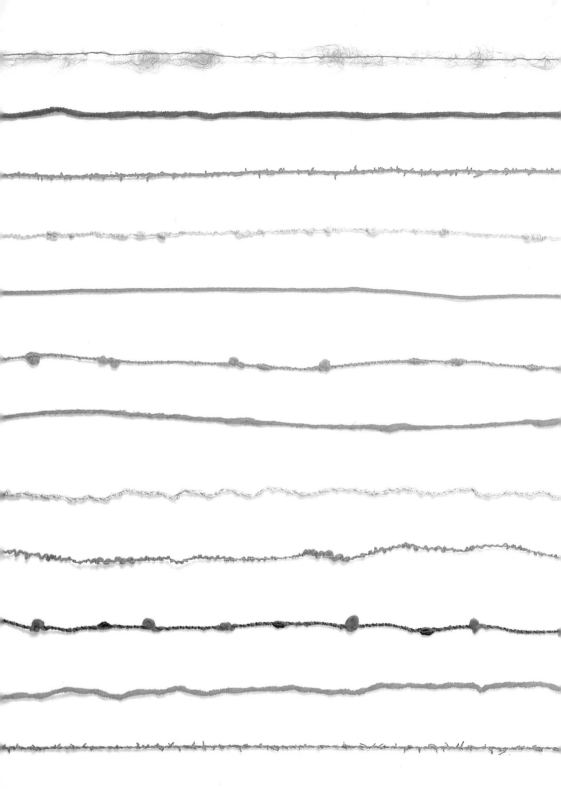